COLLECTION FOLIO

D1220246

Madame de Genlis

Mademoiselle de Clermont

Gallimard

Le présent volume reprend, dans une langue modernisée, l'édition du texte paru en 1802 au sein du recueil *Nouveaux Contes moraux et nouvelles historiques* (tome III, Librairie Maradan).

© *Éditions Gallimard, 2021, pour la présente édition.*

Stéphanie Félicité Du Crest, comtesse de Genlis (Champcéri, Bourgogne, 1746-Paris, 1830), composa, dans la France bouleversée de la fin du XVIIIe et du début du XIXe siècle, une œuvre aussi dense que polymorphe. Partisane de la Révolution — avant de quitter le pays, en 1792 —, celle qui fut gouverneur des enfants de la famille d'Orléans, parmi lesquels le futur Louis-Philippe, écrivit tour à tour nouvelles, contes, pièces de théâtre, romans, ouvrages d'éducation ou encore Mémoires. Parmi ses écrits (qui se comptent à plus de cent) : *Théâtre à l'usage des jeunes personnes* (1779-1780), *Adèle et Théodore ou Lettres sur l'éducation* (1782), *Les Veillées du château* (1784), *Le Journaliste, L'Amant dérouté, Mademoiselle de Clermont* (1802) ou encore *Les Battuécas* (1816) et *Les Parvenus* (1819). Dans ses *Mémoires*, composés de dix volumes et qui paraissent en 1825, elle s'est faite l'observatrice attentive de la Cour disparue, de l'émigration, de l'Empire puis de la Restauration. Femme de lettres lue et reconnue de son temps, elle fut aussi l'une des plumes féminines à s'interroger sur ce statut, ce qu'elle fit tout particulièrement dans la nouvelle sentimentale *La Femme auteur* (1802) ainsi que dans *De l'influence des femmes sur la littérature française, comme protectrices des lettres et comme auteurs, ou Précis de l'histoire des femmes françaises les plus célèbres* (1811).

Lisez ou relisez les livres de Madame de Genlis parus aux Éditions Gallimard :

L'ENFANT GÂTÉ, dans THÉÂTRE DU XVIIIe SIÈCLE, *tome II, 1756-1799* (Bibliothèque de la Pléiade n° 251)

LA FEMME AUTEUR (Folio 2 € n° 4520)

MADEMOISELLE DE CLERMONT,

NOUVELLE HISTORIQUE[1]

Non, quoi qu'en disent les amants et les poètes, ce n'est point loin des cités fastueuses, ce n'est point dans la solitude et sous le chaume, que l'amour règne avec le plus d'empire. Il aime l'éclat et le bruit, il s'exalte de tout ce qui satisfait l'ambition, la louange, la pompe et la grandeur. C'est au milieu des passions factices, produites par l'orgueil et par l'imagination, c'est dans les palais, c'est

---

1. Le fond de cette histoire et presque tous les détails qu'elle contient sont vrais ; l'auteur les tient d'une personne (feu madame la marquise de Puisieulx-Sillery) qui fut aussi recommandable par la sincérité de son caractère que par la supériorité de son esprit, et que mademoiselle de Clermont honora pendant vingt ans, et jusqu'à sa mort, de son amitié la plus intime.

Ce fut à Chantilly même, et dans la fatale allée qui porte encore le nom de *Melun*, que cette histoire fut contée pour la première fois à l'auteur qui l'écrivit alors, et ensuite oublia ce petit manuscrit pendant trente ans. Il n'était pas entièrement achevé, on n'a fait que supprimer plusieurs détails et ajouter le dénouement.

entouré des plus brillantes illusions de la vie, qu'il naît avec promptitude et qu'il s'accroît avec violence ; c'est là que la délicatesse et tous les raffinements du goût embellissent ses offrandes, président à ses fêtes, et donnent à son langage passionné des grâces inimitables et une séduction trop souvent irrésistible !

J'ai vécu sur les bords heureux que la Loire baigne et fertilise ; dans ces belles campagnes, dans ces bocages formés par la nature, l'amour n'a laissé que des traces légères, des monuments fragiles comme lui, quelques chiffres grossièrement ébauchés sur l'écorce des ormeaux, et pour traditions, quelques romances rustiques, plus naïves que touchantes. L'amour seulement a plané sur ces champs solitaires ; mais c'est dans les jardins d'Armide ou de Chantilly qu'il s'arrête, c'est là qu'il choisit ses adorateurs, qu'il marque ses victimes, et qu'il signale son funeste pouvoir par des faits éclatants, recueillis par l'histoire et transmis d'âge en âge. J'entreprends d'en retracer un, dont le souvenir touchant poursuit partout à Chantilly, et répand sur ces beaux lieux un charme mélancolique. C'est dans *les bois de Sylvie*[1], c'est dans l'allée fatale de *Melun*, c'est sur la trace de deux amants infortunés que

1. Nom donné à l'une des plus charmantes parties des jardins.

j'ai médité le triste récit de leurs amours… Je laisse à d'autres la gloire de briller par des fictions ingénieuses, je ne veux intéresser que par la vérité ; si j'y parviens, je m'en applaudirai : plaire en n'offrant que des tableaux touchants et fidèles, c'est instruire.

Mademoiselle de Clermont reçut de la nature et de la fortune tous les dons et tous les biens qu'on envie ; une naissance royale, une beauté parfaite, un esprit fin et délicat, une âme sensible, et cette douceur, cette égalité de caractère si précieuse et si rare, surtout dans les personnes de son rang. Simple, naturelle, parlant peu, elle s'exprimait toujours avec agrément et justesse : on trouvait dans son entretien autant de raison que de charme. Le son de sa voix s'insinuait jusqu'au fond du cœur, et un air de sentiment, répandu sur toute sa personne, donnait de l'intérêt à ses moindres actions. Telle était mademoiselle de Clermont à vingt ans. Paisible, admirée, sans passions, sans faiblesse, heureuse alors… Monsieur le duc, son frère[1], la chérissait ; mais naturellement imposant et sévère, il avait sur elle la supériorité et tout l'ascendant que devaient

---

1. Prince du sang, et premier ministre dans la jeunesse de Louis XV. On l'appelait *Monsieur le Duc*, sans ajouter son nom, comme on avait désigné le grand Condé par le titre de *Monsieur le Prince*.

lui donner son caractère, l'âge, l'expérience et le rôle qu'il jouait dans le monde ; aussi n'eut-elle jamais pour lui qu'une tendresse craintive et réservée, qui ressemblait moins à l'amitié d'une sœur qu'à l'attachement d'une fille timide et soumise. Ce fut à peu près dans ce temps que mademoiselle de Clermont parut à Chantilly pour la première fois. Jusqu'alors, sa grande jeunesse l'avait empêchée d'y suivre monsieur le duc. Elle y arriva sur la fin du printemps ; elle y fixa tous les yeux, et sut bientôt obtenir tous les suffrages. Les princesses ont l'avantage d'inspirer moins d'envie par leurs agréments, que les femmes d'une condition ordinaire. Leur élévation semble éloigner les idées de rivalité ; d'ailleurs, avec de la grâce et de la bonté, elles peuvent, sinon gagner tous les cœurs, du moins flatter la vanité des femmes de la société ; leurs préférences sont des faveurs, et la coquetterie qui n'est elle-même qu'une ambition, leur pardonne leurs succès, si elles sont affables et constamment obligeantes.

Chantilly est le plus beau lieu de la nature ; il offre à la fois tout ce que la vanité peut désirer de magnificence, et tout ce qu'une âme sensible peut aimer de champêtre et de solitaire. L'ambitieux y voit partout l'empreinte de la grandeur ; le guerrier s'y rappelle les exploits d'un héros ; où peut-on mieux rêver à la gloire que dans les bosquets de Chantilly ? Le sage y trouve des réduits retirés et paisibles, et l'amant s'y peut égarer dans une vaste forêt, ou dans l'*île d'Amour*[1]. Il est difficile de se défendre de l'émotion qu'inspire si naturellement la première vue de ce séjour enchanté, mademoiselle de Clermont l'éprouva ; elle sentit au fond de son cœur des mouvements d'autant plus dangereux qu'ils étaient nouveaux pour elle. Le plaisir secret de fixer l'attention, et d'exciter l'admiration de la société la plus brillante, la première jouissance des hommages et de toutes les prérogatives attachés au plus haut rang ; l'éclat des fêtes les plus somptueuses et les plus ingénieuses ; le doux poison de la louange si bien préparé là ! ; des louanges qui ne sont offertes qu'avec un tour délicat et neuf, et qui sont toujours si imprévues et si concises, qu'on n'a le temps ni de s'armer contre elles, ni de les repousser ; des louanges que le respect et le bon goût prescrivent de ne donner jamais qu'indirectement (eh ! comment refuser celles-là ?), que de séductions réunies ! Est-il possible, à vingt ans, de se défendre de l'espèce d'enivrement qu'elles doivent inspirer ?

1. Nom d'une île ravissante près du château.

Mademoiselle de Clermont avait toujours aimé la lecture ; ce goût devint une passion à Chantilly. Tous les jours, après dîner jusqu'à l'heure de la promenade, on faisait, dans un petit cabinet séparé, une lecture tout haut des romans les plus intéressants, et communément, c'était mademoiselle de Clermont qui voulait se charger de cet emploi. Souvent l'excès d'un attendrissement qu'elle ne pouvait modérer, la forçait de s'interrompre ; on ne manquait jamais, dans ces occasions, de louer sa manière de lire et sa sensibilité. Les femmes pleuraient, les hommes écoutaient avec l'expression de l'admiration et du sentiment ; ils parlaient tout bas entre eux, on les devinait ; quelquefois on les entendait (la vanité a l'oreille si fine). On recueillait les mots *ravissant ! enchanteur !...* Un seul homme, toujours présent à ces lectures, gardait un morne et froid silence, et mademoiselle de Clermont le remarqua. Cet homme était le duc de Melun, dernier rejeton d'une maison illustre. Son caractère, ses vertus lui donnaient une considération personnelle, indépendante de sa fortune et de sa naissance. Quoique sa figure fût noble et sa physionomie douce et spirituelle, son extérieur n'offrait rien de brillant ; il était froid et distrait dans la société ; avec un esprit supérieur, il n'était point ce qu'on appelle un homme aimable, parce qu'il n'éprouvait aucun désir de plaire, non par dédain ou par orgueil, mais par une indifférence qu'il avait constamment conservée jusqu'à cette époque. Trop austère, trop éloigné de toute espèce de dissimulation pour plaire, il était cependant généralement aimé dans le monde : on ne trouve pas que les gens vertueux soient amusants ; mais lorsqu'on les croit sincères, on pense qu'ils sont les amis les plus solides et les rivaux les moins dangereux, surtout à la cour ; on a sur eux tant d'avantages ! Il est tant de moyens puissants de réussir qu'ils rejettent ou qu'ils dédaignent !… On ne craint d'eux que leur réputation, et cette espèce de crainte ne saurait inspirer la haine ; l'intrigue l'emporte si facilement sur les droits que peut donner le mérite le mieux reconnu ! Enfin le duc de Melun, avec la politesse la plus noble, n'avait aucune galanterie, sa sensibilité même et une extrême délicatesse l'avaient préservé, jusqu'alors, d'un engagement formé par le caprice : à peine âgé de trente ans, il n'était encore que trop susceptible d'éprouver une grande passion ; mais par son caractère et par ses mœurs, il était à l'abri de toutes les séductions de la coquetterie. Monsieur le Duc l'estimait profondément, et l'honorait de sa confiance ; mademoiselle de Clermont le savait, et elle vit, avec une sorte de peine, qu'il fût le seul à lui refuser le tribut de louanges qu'elle recevait d'ailleurs de toutes les personnes de la société. Cependant, en réfléchissant à son assiduité, elle pensa que ces lectures n'étaient pas sans quelque intérêt pour lui ; elle eut la curiosité de questionner, à cet égard, la marquise de G***, parente et amie de M. de Melun, et elle apprit avec un dépit mêlé de chagrin, que M. de Melun avait toujours eu l'habitude, non d'écouter ces lectures, dit madame de G*** en riant, mais d'y assister. — Il préfère notre cabinet, continua la marquise, à la bruyante salle de billard, et au salon qui, à cette époque de la journée, n'est occupé que par les joueuses de cavagnole ; il trouve qu'on peut rêver plus agréablement parmi nous ; il nous apporte toute sa distraction, et du moins, nous ne pouvons lui reprocher de nous en causer, car il est impossible d'avoir un auditeur plus silencieux et plus immobile.

Mademoiselle de Clermont, vivement piquée, eut ce jour-là, pendant la lecture, plus d'une distraction ; souvent ses yeux se tournèrent vers le duc de Melun, plus d'une fois ses regards rencontrèrent les siens ; en sortant du cabinet elle résolut de lui parler.

Le soir à la promenade, elle feignit d'être fatiguée, et pria le duc de Melun de lui donner le bras ; cette distinction parut le surprendre, et mademoiselle de Clermont s'éloignant de quelques pas du reste de la compagnie : — J'ai une question à vous faire, dit-elle avec un sourire plein de charmes, et je me flatte que vous y répondrez avec votre sincérité accoutumée. Vous ne manquez pas une de nos lectures, cependant j'ai cru m'apercevoir qu'elles vous causaient du dégoût et de l'ennui ; sans doute que le choix vous en déplaît, et que vous le trouvez trop frivole, je voudrais savoir là-dessus votre manière de penser ; l'opinion de l'ami de mon frère ne peut m'être indifférente. À ces mots, le duc, étonné, resta un instant interdit, et se remettant de son trouble : — Je vois sans peine, reprit-il, des gens d'un esprit médiocre et d'une condition ordinaire, faire du temps précieux de la jeunesse un usage inutile et vain ; mais cet abus m'afflige vivement dans les personnes que leur rang et leur supériorité élèvent au-dessus des autres. Mademoiselle m'ordonne de lui ouvrir mon cœur, et elle vient d'y lire. Le duc prononça ces dernières paroles avec émotion. Mademoiselle de Clermont rougit, baissa les yeux, garda le silence quelques moments, ensuite elle appela une des dames qui la suivaient, ce qui termina cette conversation.

Le lendemain, à l'heure de la lecture, on présenta à mademoiselle de Clermont un roman commencé la veille, elle le prit, et le posant sur une table : — Je suis ennuyée des romans, dit-elle en regardant le duc de Melun, ne pourrions-nous pas faire une lecture plus utile et plus solide ? On ne manqua pas d'applaudir à cette idée, qui cependant déplut beaucoup en secret à plus d'une femme. On fut chercher un livre d'histoire que mademoiselle de Clermont commença avec un air d'application et d'intérêt qui n'échappa point à M. de Melun. Le soir, à souper, mademoiselle de Clermont le fit placer à côté d'elle. Ils gardèrent l'un et l'autre le silence, jusqu'au moment où la conversation générale devint assez bruyante pour favoriser un entretien particulier. — Vous avez vu tantôt, dit mademoiselle de Clermont, que je sais profiter des conseils qu'on me donne, j'espère que cet exemple vous encouragera. — La crainte de vous déplaire, répondit le duc, pourrait seule réprimer mon zèle ; autorisé par vous, je sens qu'il n'aura plus de bornes. Ces paroles prononcées avec effusion, attendrirent mademoiselle de Clermont ; un regard plein de sentiment fut sa seule réponse. Elle n'avait jamais éprouvé autant de désir de plaire : elle déploya dans cette soirée tous les charmes de son esprit, et de son côté, le duc l'étonna par une vivacité qu'on ne lui voyait jamais, par le choix et la délicatesse de ses expressions.

Les jours suivants, mademoiselle de Clermont n'osa donner au duc de Melun des préférences qu'on aurait fini par remarquer, mais elle les prodigua à la marquise de G***, cousine du Duc, et intimement liée avec lui depuis son enfance. En amitié ainsi qu'en amour, les princesses sont condamnées à faire tous les premiers frais. Le respect défend de les prévenir ou de s'approcher d'elles sans leur invitation. Il résulte de ces lois trop sévères, inventées par l'orgueil, que la princesse la plus fière fait souvent des démarches et des avances que très peu de femmes d'un rang inférieur oseraient se permettre.

La subite amitié de mademoiselle de Clermont pour madame de G*** parut extraordinaire à tout le monde. La marquise n'était plus de la première jeunesse, et elle avait plus de mérite que d'agréments ; cependant, personne alors ne devina le motif de mademoiselle de Clermont. On imagina que monsieur le Duc lui avait recommandé de se lier avec madame de G***, dont la réputation était parfaite à tous égards. M. de Melun n'osa s'arrêter aux idées que lui inspirait confusément cette intimité, mais la marquise parut lui devenir plus chère encore : dès qu'elle était un moment éloignée de mademoiselle de Clermont, il se rapprochait d'elle ; il avait avec elle dans ses manières, quelque chose de plus affectueux qu'à l'ordinaire. Il se plaçait toujours à table à côté d'elle, et alors il n'était séparé de mademoiselle de Clermont que par elle, car la princesse, à dîner et à souper, ne manquait jamais d'appeler madame de G***, dont elle devint absolument inséparable.

Monsieur le Duc fut obligé de faire une course à Paris. Au jour fixé pour son retour, mademoiselle de Clermont imagina de lui préparer une espèce de fête terminée par un bal. Elle dansait parfaitement ; M. de Melun ne l'avait jamais vue danser... Elle savait que malgré son austérité il aimait assez la danse, et qu'il était cité comme l'un des meilleurs danseurs de la cour.

Le soir, étant à sa fenêtre, elle vit passer dans une des cours madame de G*** et M. de Melun qui allaient se promener. Elle descendit seule précipitamment, elle fut les joindre, elle prit le bras du Duc, et elle dirigea ses pas vers l'*île d'Amour*. Débarrassée pour quelques instants des entraves de l'étiquette, sans suite, presque tête à tête avec M. de Melun, il lui sembla qu'elle entrait pour la première fois dans cette île délicieuse, dont elle ne prononça le nom qu'avec émotion... Madame de

G*** ne manquait pas d'esprit, mais elle avait un désagrément qui rend extrêmement insipide dans la société, celui de se répéter et de revenir continuellement sur les mêmes idées. M. de Melun lui inspirait autant d'estime et de confiance que d'amitié ; cependant, elle avait avec lui dans le monde un ton fatigant de persiflage, qu'elle quittait rarement, et qu'elle prenait surtout quand elle voulait plaire. Elle plaisantait sans cesse, avec plus de monotonie que de finesse, sur sa froideur et sur sa distraction, et l'*île d'Amour* lui fournit un grand nombre de moqueries de ce genre. On s'assit en face d'un beau groupe en marbre, connu sous le nom de *la déclaration* ; il représente un jeune homme aux pieds d'une nymphe, à laquelle il paraît faire *une déclaration*, tandis qu'il est lui-même instruit par l'Amour, debout à ses côtés, et lui parlant tout bas à l'oreille. M. de Melun regardant fixement ces statues, la marquise se mit à rire : — Vous avez l'air, dit-elle, d'écouter ce jeune homme ; mais à quoi vous servirait de l'entendre, vous ne le comprendriez pas. — Je pensais, reprit M. de Melun, qu'ici surtout l'Amour devrait se condamner au silence, car toutes les expressions dont il pourrait se servir ont été profanées par le mensonge et par la flatterie... — Voilà bien la réflexion d'un misanthrope, s'écria la marquise. — Du moins, reprit mademoiselle de Clermont, ce n'est pas celle d'un courtisan, mais elle est bien triste, ajouta-t-elle en soupirant. Cet entretien fut interrompu par un homme d'un certain âge, d'un extérieur noble et respectable, qui s'approcha de mademoiselle de Clermont pour lui présenter un placet. Cette princesse était naturellement affable ; d'ailleurs, la présence de M. de Melun ajoutait infiniment à sa bonté. L'inconnu fut accueilli avec tant de bienveillance qu'il entra dans quelques détails. Sa demande était parfaitement fondée, c'était une grâce qui dépendait de M. le Duc ; il s'agissait de réparer une injustice qui ravissait à cet homme toute sa fortune ; mais l'affaire ne souffrait aucun retardement, il fallait obtenir le soir même la signature de M. le Duc. Mademoiselle de Clermont s'en chargea formellement, et ce fut avec autant de sensibilité que de grâce, d'autant mieux que M. de Melun qui connaissait cette affaire, l'assura que cet homme méritait à tous égards sa protection. On retourna au château ; mademoiselle de Clermont entra un moment dans le salon, tout le monde n'était point encore rassemblé ; elle s'assit auprès d'une table sur laquelle, en s'appuyant, elle posa le placet qu'elle venait de recevoir. Au bout de quelques minutes, on accourt pour l'avertir qu'un habit de bal qu'elle avait commandé venait d'arriver de Paris. Elle se leva précipitamment, emmena madame de G***, et sortit du salon. M. de Melun, resté seul auprès de la table, aperçut le placet oublié… Il le prit et le mit dans sa poche, décidé à ne le rendre que si on le redemandait. Il resta exprès dans le salon, afin de voir si on enverrait chercher ce placet reçu avec tant d'attendrissement ; mais l'habit de bal, mais l'attente d'une fête avaient fait oublier, sans retour, et le placet, et l'homme intéressant et opprimé !

M. le Duc n'arriva qu'à l'heure du souper ; M. de Melun ne se mit point à table. Il resta dans le salon. Mademoiselle de Clermont regarda plus d'une fois du côté de la porte ; elle fut rêveuse et préoccupée pendant tout le temps du souper. En sortant de table, elle remonta dans son appartement, afin de s'habiller pour le bal qui commença à minuit. Alors parut mademoiselle de Clermont dans une parure éblouissante. À son aspect, il y eut dans toute la salle une espèce d'exclamation universelle… M. de Melun, placé dans un coin, la vit, soupira, et sortant aussitôt de la galerie, il passa dans un salon où l'on jouait ; il s'assit tristement dans l'embrasure d'une fenêtre, et ne faisant nulle attention à tout ce qui l'entourait, il tomba dans la plus profonde rêverie.

Cependant, mademoiselle de Clermont, en dansant la première contredanse, jetait autour d'elle des regards inquiets, et cherchait vainement le seul objet dont elle désirât le suffrage… La contredanse lui parut d'une longueur mortelle ; quand elle en fut quitte, elle se plaignit du chaud, afin d'avoir un prétexte de traverser la galerie et d'aller dans la pièce à côté. Madame de G*** l'accompagna. En entrant dans le salon des joueurs, elle aperçut dans l'instant M. de Melun, quoiqu'elle ne pût voir qu'un pan de son habit. Elle dirigea ses pas de ce côté, à quelque distance de la fenêtre, madame de G*** s'arrêta pour parler à quelqu'un, et mademoiselle de Clermont s'avançant, se trouva seule auprès du Duc qui se leva en tressaillant… — Eh ! bon Dieu, M. de Melun, s'écria-t-elle, que faites-vous donc là ? À cette question, le duc répondit d'un ton glacial, qu'il s'était placé à l'écart parce qu'il ne voulait ni danser, ni jouer. Mademoiselle de Clermont resta pétrifiée. La marquise survint, qui, suivant sa coutume, adressa à M. de Melun plusieurs plaisanteries sur *sa sauvagerie*. Mademoiselle de Clermont s'éloigna brusquement, et se hâta de rentrer dans la galerie. Blessée, irritée autant que surprise, mais soutenue par la fierté et par le dépit même, elle se remit à danser, en montrant la plus grande gaîté ; elle trouvait une sorte de soulagement dans cette affectation. C'était une vengeance. D'ailleurs, elle espérait toujours que M. de Melun viendrait au moins faire un tour dans la galerie ; mais il n'y parut point. Il fut demandé vainement par plusieurs danseuses qui lui envoyèrent une députation qui ne le trouva plus dans la salle du jeu, et qui vint dire que vraisemblablement il était allé se coucher. Alors, mademoiselle de Clermont perdit subitement toute sa gaîté factice ; le bal devint pour elle mortellement insipide ; elle ne sentit plus qu'un invincible ennui, et le désir de se retrouver seule. M. le Duc fut se coucher à deux heures, et peu de temps après mademoiselle de Clermont se retira. Elle ne s'avouait point encore ses sentiments secrets, rien de frivole n'avait contribué à les faire naître ; ce n'était ni la figure, ni les agréments de M. de Melun qui avaient fixé son attention sur lui, c'était encore moins sa galanterie, elle ne l'avait distingué que par son austérité, par sa raison et par la droiture de son caractère ; ce qu'elle éprouvait n'était donc point de l'amour. Elle cherchait un ami vertueux et sévère, comment s'alarmer d'un attachement de ce genre ? C'est ainsi qu'elle raisonnait. Par la suite, l'expérience lui apprit que, pour les femmes, le véritable amour n'est autre chose qu'une amitié exaltée, et que celui-là seul est durable. C'est pourquoi l'on peut citer tant d'exemples de femmes qui ont eu de grandes passions pour des hommes avancés en âge, ou d'un extérieur repoussant.

Mademoiselle de Clermont fit les plus tristes réflexions sur la conduite du duc de Melun ; depuis plus de trois semaines, elle voyait en lui, malgré son extrême réserve, tous les signes et tous les vrais témoignages d'un vif intérêt ; il n'entrait jamais dans le salon sans la chercher des yeux, ses regards se portaient sur elle avec une expression particulière ; le son de sa voix était plus doux en lui parlant... Ce jour même, il s'était entretenu avec elle d'une manière si agréable, et qui souvent avait eu quelque chose de si affectueux !... Il aimait la danse, il en était convenu... Pourquoi donc ce caprice ? Pourquoi ce ton si sec rempli d'humeur, et cette affectation si peu polie de ne pas paraître un instant dans la salle de bal ?... Ces diverses pensées occupèrent mademoiselle de Clermont durant la plus grande partie de la nuit ; cependant, elle se leva de bonne heure, elle sortit dans l'intention d'aller se promener : en passant dans son salon, elle éprouva une surprise peu agréable en apercevant l'homme qui, la veille, lui avait présenté un placet dans l'*île d'Amour*, elle se rappela, avec douleur, l'oubli total d'une promesse solennelle qui avait eu pour témoin M. de Melun… Qu'allait-elle répondre à cet homme malheureux qui avait compté sur sa parole ? Comment pourrait-elle réparer une négligence si coupable, et qu'en penserait M. de Melun ?… Toutes ces idées se présentèrent à la fois à son imagination, et lui causèrent un trouble inexprimable. Elle s'arrêta sans avoir la force de dire un seul mot, et l'homme au placet s'approchant d'elle avec une physionomie qui exprimait la joie la plus vive : — Je viens, dit-il, remercier votre altesse sérénissime à laquelle je dois le repos et le bonheur de ma vie… — Comment ? — M. le duc de Melun qui m'a fait l'honneur de venir chez moi ce matin, m'a appris ce que je devais à vos bontés ; il a daigné m'apporter le consentement du prince, obtenu hier au soir, à la sollicitation de mademoiselle… — M. de Melun vous a dit cela ? — Oui, mademoiselle, en me rendant, avec la signature du prince, le mémoire que j'ai pris la liberté de vous remettre hier. À ces mots, mademoiselle de Clermont balbutia quelques mots obligeants sur le plaisir que lui causait le succès de cette affaire, et sur-le-champ elle se rendit chez M. le Duc, qui lui confirma tout ce qu'on venait de lui dire. — Vous devez des remerciements à M. de

Melun, continua M. le Duc, pour la chaleur qu'il a mise à cette affaire, parce qu'il savait, m'a-t-il dit, qu'elle vous intéresse vivement. En rentrant pour me coucher, je l'ai trouvé établi chez moi, m'attendant de pied ferme pour me forcer, malgré ma lassitude et l'heure indue, à écouter la lecture d'un placet, et ensuite à l'apostiller de ma main.

Ce détail acheva de porter au comble la douloureuse confusion de mademoiselle de Clermont ; elle se hâta de quitter M. le Duc pour aller se promener, sûre de trouver à cette heure M. de Melun près du grand canal ; une femme connaît si promptement toutes les habitudes de l'objet qu'elle aime, et sans avoir l'air de s'en informer ! Les femmes seules possèdent le secret d'apprendre parfaitement tout ce qu'elles n'osent demander, par l'art de savoir faire des questions indirectes, avec une adresse inimitable. En effet, mademoiselle de Clermont trouva M. de Melun seul sur les bords du canal. — J'ai des remerciements à lui faire, dit-elle en quittant les dames qui l'accompagnaient, et s'avançant précipitamment vers lui, elle prit son bras, et s'éloignant de manière à n'être entendue de personne : — Ah ! M. de Melun, dit-elle, quelle opinion avez-vous de moi ? Oh ! ne me jugez point sur une action que je me reprocherai toute ma vie... Il est vrai, cette fête, ce bal, m'ont causé la plus inexcusable distraction ; mais ne l'attribuez point à la coquetterie, vous seriez injuste... Une idée bien différente m'occupait... Je ne puis vous parler qu'un moment, et j'aurais tant de choses à vous dire !... Je voudrais me justifier et je dois vous remercier... Vous avez réparé ma faute, vous avez rempli mon devoir... Ah ! si vous saviez à quel point je suis pénétrée de ce procédé, le plaisir de vous admirer me dédommage de la juste confusion que j'éprouve ; mais si j'ai perdu votre estime, qui me consolera ?... À ces mots, elle regarda M. de Melun, et elle vit ses yeux remplis de larmes, les siennes coulèrent, elle serra doucement le bras qu'elle tenait ; le Duc pâlit, ses jambes chancelèrent... Six personnes clairvoyantes et curieuses étaient à quelques pas de lui, l'excès de son émotion, de sa contrainte et de ses inquiétudes, rendaient sa situation aussi pénible qu'embarrassante... Mademoiselle de Clermont, plus heureuse, ne sentait que la joie d'avoir lu dans son cœur. Tous les deux gardaient le silence, et, sans effort, ils venaient de s'entendre !... Enfin, mademoiselle de Clermont reprenant la parole : — Voilà donc pourquoi, dit-elle en souriant, vous n'avez pas voulu danser hier ?... — J'avoue, répondit le Duc, que j'avais un peu d'humeur contre le bal... — Ah ! s'écria mademoiselle de Clermont, ce n'était point le bal... Elle s'arrêta et rougit... — *Le bal !* reprit-elle, je le déteste, et je fais vœu de passer une année entière sans danser. — Une année entière ! — Oui, je le jure à M. de Melun. — Et les bals de la cour ? — Je trouverai un prétexte pour n'y point danser, et laissez-moi croire que ce petit sacrifice sera une espèce d'expiation à vos yeux, d'une légéreté qui a dû vous donner de mon caractère une opinion si défavorable. En prononçant ces paroles, elle se retourna vers les personnes qui la suivaient et fut les rejoindre. Toute cette journée fut pour elle un enchantement ; elle avait vu M. de Melun pâlir et s'attendrir ; cet homme si sage, si austère, si maître de lui-même, si froid en apparence, elle l'avait vu se troubler, chanceler et prêt à se trouver mal !... Qu'elle était heureuse et fière, en se retraçant ce moment de saisissement et de bonheur !... Comme elle fut aimable, accueillante tout le reste du jour, et contente de tout ce qui l'entourait ! À dîner, elle appela M. de Melun et madame de G***, et les fit placer à ses côtés. Comme toutes les plaisanteries les plus rebattues de la marquise lui parurent agréables ! Comme elle en rit naturellement ! Pour le Duc, il ne riait pas, il ne fut jamais plus silencieux et plus taciturne ; mais son regard était si doux ! Et quand il ne répondait pas, il soupirait, ce qui vaut mieux en présence d'un tiers que la réponse la plus spirituelle.

À l'heure de la promenade, au moment de monter en calèche, une des dames de mademoiselle de Clermont voulut prendre, des mains d'une jeune paysanne, un placet présenté à la princesse : — Donnez, dit cette dernière en regardant M. de Melun, donnez-moi ce placet, je ne le perdrai pas ; et se retournant vers la jeune paysanne, elle l'invita à revenir au château dans la soirée, car sa jolie figure et son air abattu faisaient pressentir que sa demande devait être intéressante. Le placet fut lu dans la calèche ; il contenait la plainte naïve et touchante d'une jeune fille séduite et abandonnée par un valet de pied de la princesse. Qu'elle fut bien inspirée, cette jeune fille, en présentant son placet ce jour-là ! Elle l'avait terminé par cette phrase : *Si votre altesse m'abandonne, je n'aurai plus d'autre ressource que de m'aller jeter dans le grand canal.*

M. de Melun était dans la calèche, le secret de la jeune fille pouvait-il être bien gardé ? Comment laisser échapper une telle occasion de parler d'*amour*, de *malheur*, de *désespoir*, et de montrer toute sa sensibilité ?… Pardonnons à l'amour un peu d'ostentation, le seul désir de plaire ou de briller en donne tant !…

Mademoiselle de Clermont retrouva la

paysanne au château ; le valet de pied fut appelé, sermonné ; la jeune fille richement dotée, les deux amants raccommodés, et l'engagement du mariage irrévocablement pris.

Après souper, on proposa une promenade sur l'eau, et l'on se rendit au canal de Chantilly, où l'on trouva plusieurs gondoles illuminées, suivies de petites barques remplies de musiciens. Un temps pur et serein, le calme de la nuit, une musique délicieuse, la lumière douce et tendre du plus beau clair de lune, tout portait au fond du cœur de mademoiselle de Clermont des impressions d'autant plus vives qu'elles étaient nouvelles. Dans un moment où la conversation générale était extrêmement bruyante, mademoiselle de Clermont, sous prétexte de vouloir entendre mieux la musique, se retira dans le coin le plus obscur de la gondole. Elle s'abandonnait au charme d'une rêverie profonde, lorsqu'un mouvement qu'elle entendit derrière elle lui fit tourner la tête, et elle vit le duc de Melun qui paraissait vouloir s'éloigner. — Quoi donc ! dit-elle en rougissant, c'est moi qui fais fuir M. de Melun ? — J'ai craint, reprit le Duc, de troubler la solitude que mademoiselle semble chercher... — En la partageant, interrompit-elle vivement, vous la rendrez plus agréable. M. de Melun ne répondit que par une inclination

respectueuse. Il garda le silence un instant...
Enfin, prenant la parole, d'une voix basse et
tremblante : — Mademoiselle, dit-il, n'a-t-elle
point d'ordres à donner pour Paris ? Je compte
partir à la pointe du jour. Dans la disposition
où se trouvait mademoiselle de Clermont, elle
ne s'attendait guère à ce départ précipité.
L'adieu de M. de Melun la rendit interdite, et
ne pouvant dissimuler entièrement ce qui se
passait dans son âme : — Il faut donc, reprit-
elle en le regardant fixement, que vous ayez
des affaires bien importantes, pour nous quitter d'une manière si brusque et si imprévue ?
Le ton interrogatif de mademoiselle de Clermont indiquait une question. Le Duc parut
embarrassé : — Le respect, répondit-il, est
souvent un obstacle à la confiance... — J'en-
tends cette défaite, interrompit mademoiselle
de Clermont ; elle ne me satisfait pas, mais elle
me suffit. Ces mots, prononcés avec beaucoup
de feu, firent soupirer M. de Melun ; il leva
les yeux au ciel, et en les baissant, il rencon-
tra ceux de mademoiselle de Clermont, plus
beaux, plus touchants, plus expressifs qu'ils
ne furent jamais : il allait parler, et peut-être
trahir entièrement les secrets de son cœur,
lorsque M. le Duc, s'approchant, mit fin à cet
entretien si pénible et si dangereux.

Au moment où le jour commençait à

paraître, on le vint dire à mademoiselle de Clermont, qui, de premier mouvement, s'écria :
— Quoi, déjà ! ah ! que j'en suis fâchée, et que je regrette la nuit ! Ces paroles furent entendues de M. de Melun, et la sensibilité dont elles le pénétrèrent fut une nouvelle raison pour lui de hâter son départ ; il comprit trop à quel point il était nécessaire. À l'instant où l'on descendait des gondoles pour retourner au château, M. de Melun s'approcha de M. le Duc, feignit d'avoir reçu des lettres qui demandaient sa présence à Paris, prit congé de lui, et s'arracha de Chantilly avec autant de peine que de courage. Son départ acheva d'éclairer mademoiselle de Clermont sur le sentiment qui la dominait. Livrée à l'ennui, aux regrets, à ce vide affreux qu'on éprouve loin du seul objet qui peut intéresser, elle n'avait qu'une consolation, l'espoir de son retour, et qu'un plaisir, celui de guetter à sa fenêtre toutes les voitures qui arrivaient dans la cour. Lorsqu'elle était dans le salon, elle entendait toujours la première le bruit d'un carrosse, ou celui d'un fouet de poste. Alors, les yeux attachés sur la porte, elle attendait avec saisissement que cette porte s'ouvrît, et quelle désagréable sensation lui causait la personne qui entrait (quelque aimable qu'elle fût) ; ce n'était pas M. de Melun !... Quinze

mortels jours se passèrent de la sorte, le Duc ne revint point ; mais enfin le voyage finit. Avec quelle joie secrète mademoiselle de Clermont retourna à Paris, en songeant qu'elle allait se retrouver dans les lieux que M. de Melun habitait… La première fois que le hasard le lui fit rencontrer, son trouble fut inexprimable ; il lui semblait que tous les yeux étaient fixés sur elle, et lisaient au fond de son âme ; mais son agitation et son embarras ne furent remarqués que de l'objet qui les causait. Le duc, toujours prêt à se trahir, eut assez de force et de vertu pour la fuir encore de nouveau, malgré la certitude d'être aimé. Tout est compensé dans la nature : si les cœurs sensibles sont souvent ingénieux à se tourmenter, ils ne le sont pas moins à chercher, à trouver des consolations et des dédommagements dans les choses même les plus affligeantes.

Mademoiselle de Clermont voyait dans le soin que M. de Melun mettait à l'éviter, une raison de plus d'admirer son caractère, et tout ce qui attache davantage à l'objet qu'on aime est un bonheur.

Cependant M. de Melun rencontrait souvent mademoiselle de Clermont, surtout à la cour. L'hiver avançait, et l'on annonça *un bal paré* à Versailles, dans lequel le roi, devant danser un quadrille, nomma pour sa danseuse mademoiselle de Clermont. Cette dernière, se trouvant à souper chez M. le Duc avec M. de Melun, lui demanda s'il se souvenait de la promesse qu'elle lui avait faite, d'être un an sans danser. — Si je m'en souviens !… reprit vivement M. de Melun ; il n'osa poursuivre. — Eh bien ! dit mademoiselle de Clermont, vous qui êtes aussi du quadrille de la cour, vous savez que je suis désignée pour danser avec le roi ? — Aussi, répondit M. de Melun en souriant, avais-je eu l'honneur de dire à mademoiselle qu'un *tel vœu* serait pour elle d'une difficile exécution. — Convenez que vous n'avez regardé cet engagement que comme une façon de parler… — Mademoiselle, en y réfléchissant, a dû voir qu'il lui serait impossible de faire une chose si extraordinaire à son âge et dans sa situation. — *Impossible !…* Combien il y a peu de choses impossibles, quand… Elle rougit, n'acheva pas, et détourna la tête. Un moment après, reprenant la conversation : — Vous croyez donc, reprit-elle, que je danserai au bal paré ? À cette question, le Duc la regarda fixement d'un air étonné. — Non, monsieur, continua-t-elle, je ne danserai que l'été prochain, *à Chantilly.* Comme elle disait ces mots, elle se leva de table, et l'on passa dans le salon. Le lendemain, mademoiselle de Clermont écrivit à son frère, qu'en descendant seule l'un des petits escaliers de son appartement, elle s'était donné une entorse. M. le Duc reçut ce billet à l'heure de son audience, et cette nouvelle se répandit aussitôt dans tout Paris. Le chirurgien attaché à la princesse, et gagné par elle, déclara qu'il avait vu son pied, et que la princesse serait obligée de garder sa chambre six semaines. Elle se mit sur une chaise longue, et reçut ainsi les visites de toute la cour. Le duc de Melun y accourut. Il ne savait que penser ; il se doutait bien, d'après l'entretien de la veille, que c'était une feinte ; cependant il était possible que l'accident fût réel. Le premier regard de mademoiselle de Clermont le tira de son incertitude, elle sourit en l'apercevant ; et dans le moment où il entra, plusieurs personnes s'en allant, et les dames de mademoiselle de Clermont les reconduisant, il s'approcha de la chaise longue : — Eh bien ! lui dit mademoiselle de Clermont, était-ce *une chose impossible ?...* Et maintenant croirez-vous que ce fut le bal ou le désir de briller dans une nombreuse assemblée qui me fit oublier le placet ?... — Ah ! reprit le Duc avec attendrissement, pourquoi nous punir tous, quand un seul mot vous suffisait... Il n'en put dire davantage, les dames de mademoiselle de Clermont se rapprochaient d'elle.

Mademoiselle de Clermont resta en effet six semaines dans sa chambre, et sur une chaise longue : elle fut remplacée dans le quadrille de la cour ; et comme le roi avait annoncé qu'il y aurait encore un bal, uniquement pour dédommager mademoiselle de Clermont de n'avoir pu aller au premier, elle prit le parti de feindre d'être boiteuse ; elle emmaillota son pied droit de manière à le grossir excessivement, et parut ainsi à la cour. M. de Melun qui, depuis l'histoire de la fausse entorse, allait assidûment chez mademoiselle de Clermont, y fut ce soir-là de si bonne heure qu'il trouva le salon vide. Lorsqu'on fut dire à la princesse qu'il venait d'arriver, elle donna l'ordre d'avertir ses dames ; mais elle ne les attendit pas, et elle se hâta d'entrer dans le salon. M. de Melun la voyant marcher sans boiter, la regardait de l'air le plus touché : — Voyez, dit-elle, comme votre vue me guérit de mes maux !... — Ah ! s'écria le Duc en mettant un genou en terre, quelle raison humaine pourrait tenir à tout ce que j'éprouve depuis six semaines !...

C'était enfin parler : mais aussi c'était la première fois qu'il se trouvait tête à tête avec celle qu'il adorait, et qui lui donnait de ses sentiments des preuves si extraordinaires. Mademoiselle de Clermont, toujours debout, fut si émue, si tremblante, qu'elle s'appuya contre une table... Le Duc, toujours à genoux, fondit en larmes... On entendit du bruit dans l'antichambre : — *Pour toujours !* dit mademoiselle de Clermont d'une voix entrecoupée... — *Jusqu'au tombeau !* répondit le Duc en se relevant et en essuyant ses yeux... La porte s'ouvrit, les dames de la princesse entrèrent. Cette dernière eut assez de présence d'esprit pour conter qu'en entrant dans le salon, le battant de la porte était tombé sur son pied malade, et qu'il lui était échappé un cri qui avait causé une frayeur extrême à M. de Melun. Cette histoire prévint l'étonnement qu'aurait excité l'altération qu'il était impossible de ne pas remarquer sur le visage de mademoiselle de Clermont, et sur celui de M. de Melun.

Quelle révolution cette soirée produisit dans l'existence de mademoiselle de Clermont ! Elle était adorée, elle avait reçu le serment de l'être toujours... *jusqu'au tombeau...* Ces paroles étaient sorties de la bouche de M. de Melun !... Quels projets formait mademoiselle de Clermont ? Aucun. Animée d'une seule pensée, elle se répétait : Il m'aime, il me l'a dit ! Ce souvenir, cette idée occupaient son âme tout entière, l'avenir ne pouvait l'inquiéter, elle n'y voyait que son amant fidèle *jusqu'au tombeau...* Des obstacles, en existait-il ? Qu'avait-elle à craindre, elle était sûre d'être aimée...

Cependant, M. de Melun, un peu rendu à lui-même, fut épouvanté de sa faiblesse ; il avait trente ans, il était l'ami de M. le Duc, dont il possédait toute la confiance, auquel il avait les plus grandes obligations, et il venait de déclarer une passion extravagante à sa sœur, à une princesse du sang, jeune, sans expérience... Il savait que M. le Duc s'occupait dans ce moment d'une négociation, dont le but était le mariage de mademoiselle de Clermont avec une tête couronnée... Dans sa situation, profiter de ses sentiments, achever de la séduire, c'était bouleverser sa destinée, c'était la perdre et manquer à tous les devoirs de la reconnaissance et de la probité. Il n'hésita pas à sacrifier sa passion à son devoir ; mais comment se conduire après son imprudence de la veille, après avoir fait la déclaration la plus formelle !... Le résultat de ces réflexions fut d'écrire à mademoiselle de Clermont une lettre conçue en ces termes :

« Je ne fus hier qu'un insensé, je serais aujourd'hui le plus vil des hommes si je n'éprouvais pas des remords trop fondés !... Je voudrais pouvoir racheter de mon sang un aveu téméraire et coupable ; mais du moins je jure, par le sentiment même qui m'égare, de garder désormais un silence éternel... Ce sentiment, devenu tout pour moi, me rendra tout possible ; je m'éloignerai, mais pour votre repos, pour votre réputation, pour votre gloire. Je souffrirai, mais pour vous !... Ah ! remplissez vos nobles destins, et ne me plaignez point !... Depuis six mois, ai-je une autre existence que la vôtre ? Ne m'est-il pas aussi nécessaire de vous voir l'objet de l'admiration universelle, que de m'estimer moi-même !... Soyez paisible, soyez heureuse, et mon sort ne sera-t-il pas encore assez beau !... »

Il venait de terminer cette lettre, lorsqu'on entra pour lui annoncer un page de mademoiselle de Clermont, qui entra et lui remit un billet de la princesse, le premier billet qu'il eût reçu d'elle, un billet de son écriture !... Il l'ouvrit avec un trouble inexprimable ; mais ce billet ne contenait rien d'intéressant ; il était écrit à la tierce personne ; la princesse demandait à M. de Melun, pour une de ses dames, sa loge à la Comédie-Française ; M. de Melun répondit verbalement, qu'il allait porter lui-même ce qu'on lui demandait, et le page sortit. Quand M. de Melun fut seul, il examina avec attention le billet de la princesse, et quels furent sa surprise et son attendrissement en lisant sur le cachet ces mots qu'il avait prononcés la veille : *jusqu'au tombeau !*

Mademoiselle de Clermont, le soir même, avait envoyé chez son graveur, l'ordre de tracer ces paroles sur un cachet tout fait, et de le lui envoyer le lendemain à midi ; ce qui fut exécuté. Afin d'employer ce cachet, elle saisit le prétexte que lui fournit une de ses dames, qui témoigna le désir d'aller à la comédie ; elle écrivit en sa présence à M. de Melun pour demander la loge : le cachet disait assez, pour qu'elle se consolât de ne pouvoir écrire que deux lignes insignifiantes.

M. de Melun se rendit chez mademoiselle de Clermont ; elle était seule avec sa dame d'honneur, à laquelle il présenta le billet de loge pour l'offrir à la princesse. Un instant après, la dame d'honneur se leva pour aller chercher son sac à ouvrage qui était à l'autre extrémité de la chambre. Tandis qu'elle avait le dos tourné, M. de Melun, d'un air aussi timide que touché, posa sur un guéridon, à côté de la princesse, la lettre qu'il venait d'écrire : la princesse rougit, mit son mouchoir sur la lettre, et appuyant son bras et sa main sur le guéridon, elle resta dans cette attitude. M. de Melun prit congé d'elle, et la princesse saisissant la lettre avec le mouchoir qui l'enveloppait et la cachait, se hâta de se retirer dans son cabinet.

M. de Melun passa le reste de la journée renfermé chez lui. Le lendemain, il eut le désir de revoir mademoiselle de Clermont, afin de connaître, du moins à peu près, l'effet que sa lettre avait produit sur elle. Il fut souper chez M. le Duc, sachant que mademoiselle de Clermont y serait. Il lui trouva l'air agité, mais satisfait. Pendant qu'on arrangeait les parties de jeu, et que tout le monde était debout, elle s'approcha de lui, et en lui demandant à voir la carte qu'il avait tirée, elle la lui rendit avec un billet que M. de Melun mit aussitôt dans son sein. Malgré la présence de mademoiselle de Clermont, l'impatience de lire sa réponse lui fit paraître la soirée bien longue. Il se retira de bonne heure ; et lorsqu'il fut chez lui, il s'empressa d'ouvrir le billet fermé avec le cachet nouveau, et ne contenant que ce qui suit :

« *Pour toujours !...*
            Louise Bourbon-Condé. »

C'était le serment échappé la veille à mademoiselle de Clermont, au moment où M. de Melun se mit à genoux devant elle, et c'était avec réflexion qu'elle le répétait et le signait. Qu'aurait exprimé de mieux et de plus une longue lettre ?... M. de Melun baisa ce touchant écrit, et le remettant sur son sein :
— Tu resteras là, dit-il, jusqu'au dernier soupir, jusqu'au dernier battement de ce cœur sensible et déchiré....

On était au mois de février. Quelques jours après, sous prétexte d'arrangement d'affaires, le Duc partit pour une terre qu'il avait en Languedoc, décidé à y rester trois ou quatre mois.

Ce départ causa autant de chagrin que d'étonnement à mademoiselle de Clermont, et lorsqu'au bout de deux mois, elle vit que M. de Melun ne revenait pas, elle tomba dans une mélancolie dont rien ne put la distraire. Tout le monde attribua sa tristesse au mariage brillant dont il était question pour elle, et qui devait l'éloigner à jamais de la France. M. le Duc, en effet, lui en avait parlé ; mais l'ayant trouvée entièrement opposée à ce projet, il lui avait demandé d'y réfléchir mûrement, et de l'instruire de sa dernière résolution à cet égard dans le cours du mois de mai. À cette époque, revint le duc de Melun, après une absence de trois mois. Le lendemain de son arrivée, la marquise de G*** vint trouver mademoiselle de Clermont, pour lui faire une confidence au sujet de M. de Melun. Le comte de B***, d'une richesse immense, n'avait qu'une fille unique, âgée de dix-sept ans, aimable et belle. Cette jeune personne, dont le père commandait en Languedoc, avait beaucoup vu le duc dans cette province ; ses parents, amis de la marquise, lui avaient confié qu'ils désiraient passionnément l'alliance du duc de Melun, et d'autant plus qu'ils soupçonnaient que leur fille avait de l'inclination pour lui. Après ce récit, madame de G*** demanda à mademoiselle de Clermont d'engager M. le Duc à parler à M. de Melun sur une affaire si avantageuse pour lui. — Je compte aussi, continua la marquise, lui dire à cet égard tout ce que je pense ; mais comme il a toujours montré beaucoup d'éloignement pour le mariage, je désire vivement être secondée par M. le Duc qui a tant d'ascendant sur son cœur et sur son esprit. Mademoiselle de Clermont interrompit la marquise pour la questionner sur mademoiselle de B***, dont la marquise fit le plus grand éloge. Mademoiselle de Clermont promit de parler à son frère.

Cette conversation causa à mademoiselle de Clermont la plus vive inquiétude qu'elle eût encore éprouvée. Mademoiselle de B*** aimait le duc de Melun, et elle était charmante… Tous les amis de M. de Melun allaient se réunir pour lui vanter tous les avantages de cette alliance… Quels tristes sujets de réflexion ! — Hélas ! se disait-elle, le sentiment qu'on suppose à mademoiselle de B*** (et qu'elle n'a peut-être pas) intéresse tout le monde ; et moi, pour éviter un blâme universel, je dois cacher celui que j'éprouve : cependant, je suis libre aussi… Que je le hais, ce rang funeste où le sort m'a placée !… M. de Melun lui-même croit que je dois à cette odieuse élévation le sacrifice d'un attachement si tendre ; il croirait, en y répondant, se rendre indigne de l'inspirer… Ne s'est-il pas déjà rétracté ? N'a-t-il pas fui loin des lieux que j'habitais ?… Il épousera peut-être mademoiselle de B*** par reconnaissance, tandis qu'avec moi le parjure, l'ingratitude et la barbarie ne lui paraissent que de la générosité !… Des larmes amères accompagnaient ces tristes réflexions. Cependant, elle se décida à faire auprès de M. le Duc la démarche qu'on désirait ; d'ailleurs, c'était un prétexte pour parler de M. de Melun, et c'était un moyen prompt d'apprendre avec certitude ses sentiments à cet égard. M. le Duc était à Versailles pour trois jours ; il fallait attendre son retour. Pendant ce temps, mademoiselle de Clermont ne revit point M. de Melun ; mais elle sut qu'il était maigri, et plus distrait que jamais : elle sut aussi tous les détails imaginables sur mademoiselle de B***, sur sa figure, sur son caractère, sur ses talents. Elle n'aurait pu la méconnaître si elle l'eût rencontrée.

Aussitôt que M. le Duc fut revenu de Versailles, mademoiselle de Clermont lui rendit compte de tout ce que madame de G*** lui avait dit, et elle eut assez d'empire sur elle-même (les princesses en ont plus que les autres femmes) pour montrer le désir de voir réussir ce mariage. M. le Duc réfléchit un moment ; ensuite il dit à mademoiselle de Clermont, que M. de Melun, ayant beaucoup d'attachement pour elle, il désirait qu'elle lui parlât aussi : — Je le verrai demain matin, continua-t-il, et ensuite je vous l'enverrai. Ceci n'était pas dit sans dessein ; M. le Duc n'avait encore aucun soupçon des sentiments mutuels de sa sœur et de M. de Melun ; mais il savait que ce dernier avait obtenu l'estime et la confiance de mademoiselle de Clermont, et il voulait l'engager à lui parler du mariage pour lequel elle montrait tant d'éloignement. En effet, il donna cette commission à M. de Melun, en ajoutant : — Puisqu'elle tâchera de vous déterminer à ne point refuser un établissement avantageux, vous aurez bien le droit de lui donner un semblable conseil pour elle-même. M. de Melun, désirant et craignant également de revoir mademoiselle de Clermont après une aussi longue absence, et cependant heureux de penser qu'il allait l'entretenir sans témoins, se rendit chez elle, en se promettant de lui parler avec une raison parfaite. Pour son repos, se disait-il, pour le mien, il faut que je lui parle avec détail ; mon courage peut seul ranimer le sien ; je la déciderai au sacrifice d'un sentiment que tout condamne : c'est ainsi que je dois profiter de l'ascendant que j'ai sur elle. Fortifié par ces pensées, M. de Melun arriva à midi chez mademoiselle de Clermont ; il était attendu… On le fit entrer dans un salon au rez-de-chaussée dont les portes de glaces donnaient sur un jardin. On le pria d'attendre là, parce que la princesse était encore dans sa chambre. Au bout de quelques minutes la porte s'ouvrit ; mademoiselle de Clermont, suivie de deux dames, parut et s'avança vers le Duc… Un regard souvent éclaircit tant de choses ! À peine mademoiselle de Clermont eut-elle jeté les yeux sur M. de Melun, que sa jalousie et ses inquiétudes se dissipèrent ; elle cessa de craindre mademoiselle de B***.

Elle invita M. de Melun à passer avec elle dans le jardin ; elle appuya sur son bras une main charmante, ornée d'un bracelet qui fixa l'attention de M. de Melun… On entra dans le jardin ; les dames de la princesse s'assirent et restèrent sur un banc ; la princesse continua sa promenade. M. de Melun, les yeux fixés sur le bracelet, tressaille en lisant ces mots, tracés en lettres de diamants, *pour toujours !* La princesse lui montrant l'autre bracelet qui contenait la réponse de M. de Melun, *jusqu'au tombeau !* — Ces deux serments, dit-elle, sont *ineffaçables*… C'est en vain qu'on voudrait les rétracter !... — Les rétracter, grand Dieu ! reprit M. de Melun, j'ai pu me repentir de mon imprudence et de ma témérité, mais non d'un sentiment qui m'élève à mes propres yeux, et qui m'est aussi cher que l'honneur. — Et pourquoi donc fuir ? — Pour conserver votre estime. — Ah ! restez près de moi pour me guider, pour m'éclairer... — Suivrez-vous mes conseils ? — En doutez-vous ? — Remplissez donc votre destinée ; honorez la souveraine puissance, en montant sur le trône qu'on vous offre. — C'est vous qui m'exilez pour jamais de ma patrie ! Songez-vous à l'éternel adieu que vous recevriez de moi ?... Si vous avez la force de soutenir cette image, ne me supposez pas ce courage inhumain... Enfin, que me proposez-vous ? de rendre criminel le sentiment qui m'attache à vous ; maintenant, malgré tous les préjugés qui le réprouvent, il est innocent, il ne changera jamais... Ah ! combien ma liberté m'est chère ! Du moins elle me donne le droit de vous aimer sans remords... Ce langage séducteur ébranla toutes les résolutions austères de M. de Melun ; il se rappela bien toutes les choses raisonnables qu'il avait eu le projet de dire, mais dans ce moment elles lui parurent déplacées ou trop dures : au reste, il se trouvait héroïquement vertueux, en pensant qu'un autre à sa place aurait fait éclater tous les transports de l'amour et de la reconnaissance : il est vrai, il ne peignait pas sa passion, mais il la laissait voir tout entière : un sage amoureux, tête à tête avec l'objet qu'il aime, est tout aussi faible qu'un homme ordinaire. La sagesse en amour ne peut servir qu'à faire éviter le danger ; elle a rarement assez de force pour le braver.

M. de Melun s'oublia deux heures avec mademoiselle de Clermont ; il ne lui parla que d'elle et de ses sentiments, et mille fois il jura de lui consacrer sa vie. Il fallut enfin se séparer ; il fallut, en sortant de chez mademoiselle de Clermont, revoir M. le Duc ; il fallut dissimuler, tromper et mentir !... C'est alors qu'une âme généreuse déplore l'empire funeste des passions, et qu'elle devient capable des efforts les plus courageux pour s'y soustraire. Mademoiselle de Clermont n'éprouvait point ces combats et ces agitations cruelles dont la préservaient son innocence et la pureté de son âme ; d'ailleurs, tous les sacrifices étant de son côté, la délicatesse et la générosité, loin de combattre sa passion, ne pouvaient que la lui rendre plus chère ; mais M. de Melun, accablé d'un remords pressant, que le redoublement d'amitié de M. le Duc rendait insupportable, résolut enfin de faire à ses principes le sacrifice entier de son amour.

L'ambassade d'Angleterre était vacante, il se détermina à la demander. Avant de faire cette démarche, il écrivit à mademoiselle de Clermont une longue lettre dans laquelle il peignit, avec autant de vérité que de sensibilité, tout ce qu'il avait éprouvé ; il détaillait les raisons qui le décidaient à se bannir pour cinq ou six ans ; elles avaient toutes pour objet et pour but les intérêts, la gloire et la tranquillité de mademoiselle de Clermont. Cette lettre et ce nouveau projet excitèrent dans le cœur de mademoiselle de Clermont autant de ressentiment que de douleur ; elle appela la fierté à son secours : c'est, en amour, une grande ressource pour les femmes, et qui souvent pour elles fut le supplément de la raison. La princesse, irritée, jura d'oublier M. de Melun, et même de l'éviter jusqu'au voyage de Chantilly qui devait être sur la fin de juin ; elle cessa de porter ces bracelets qui lui retraçaient un souvenir trop cher qu'elle voulait bannir de sa mémoire, mais elle les renferma soigneusement dans un écrin particulier dont elle garda la clef. Le dépit et le chagrin altérèrent sensiblement sa santé ; et dans les premiers jours du mois de juin, elle tomba tout à fait malade, et la rougeole se déclara. M. de Melun apprit cette nouvelle à Versailles, il revint sur-le-champ ; et sous

le prétexte de son attachement pour M. le
Duc, il s'enferma avec lui et ne le quitta plus.
Lorsque le prince était dans la chambre de sa
sœur, M. de Melun restait dans un cabinet à
côté ; la porte de ce cabinet, qui n'était jamais
fermée, donnait dans la chambre de mademoiselle de Clermont. De violents maux de
nerfs, joints à la rougeole de mademoiselle de
Clermont, rendirent sa maladie très grave et
firent craindre pour sa vie. Une nuit que M. le
Duc, accablé de fatigue, s'était endormi, M. de
Melun voyant tout ce qui l'entourait livré au
sommeil, s'approcha davantage encore de la
porte, et l'entr'ouvrit de manière qu'il pouvait
voir, sans être aperçu, ce qui se passait dans
la chambre de mademoiselle de Clermont ;
il entendit qu'elle parlait à voix basse à l'une
de ses femmes qui était au chevet de son lit.
Il prêta l'oreille, et il recueillit ces paroles :
— Quoi ! Vous en êtes sûre ? Quoi ! M. de
Melun est enfermé avec mon frère ?... Ne vous
êtes-vous point trompée ? Est-ce bien lui ?...
La femme de chambre répéta qu'elle en était
certaine. — Ah Dieu ! reprit mademoiselle
de Clermont. Elle garda un instant le silence,
puis elle dit : — C'est pour mon frère !... À
ces mots, elle se retourna et parut agitée. La
femme de chambre lui demanda comment
elle se trouvait ; elle répondit : — Ma fièvre

est bien forte, je me sens mal… Et elle ajouta :
— J'aurais quitté la vie avec plus de tranquillité
il y a un an, et cependant… Elle n'acheva pas.
Mais après une courte pause, elle prit une clef
sur sa table de nuit, et la donnant à la femme
de chambre, elle lui dit d'aller chercher, dans
l'un de ses cabinets, un petit écrin qu'elle lui
indiqua ; c'était celui qui renfermait ses bracelets : la femme de chambre obéit. Dans ce
moment, il n'y avait plus auprès de la malade
qu'un chirurgien endormi dans un fauteuil,
et une garde couchée sur un canapé, et livrée
aussi au plus profond sommeil… M. de Melun,
hors de lui, et le visage baigné de pleurs, jette
un coup d'œil dans la chambre, et au même
moment, il s'y élance et va tomber à genoux
près du lit… Mademoiselle de Clermont tressaille, et lui tend une main brûlante qu'il
arrosa de larmes… — Et cependant, dit-elle
d'une voix douce et pénétrante, vous partez
pour l'Angleterre !… — Non, non, reprit le
duc, je jure de rester, et j'atteste tout ce qu'il
y a de sacré, que désormais je n'agirai plus
que d'après vos volontés et vos ordres… — Ô
mon Dieu ! dit mademoiselle de Clermont en
levant les yeux au ciel, mon Dieu, daignez me
conserver la vie !… À ces mots, M. de Melun
pressa contre son cœur la main qu'il tenait, et
se relevant précipitamment, il retourna dans le

cabinet : heureusement que M. le Duc dormait encore… M. de Melun sortit doucement et descendit dans le jardin ; la nuit était sombre et la chaleur étouffante. M. de Melun s'assit sur un banc, en face du palais ; il fixa tristement ses regards sur l'appartement de mademoiselle de Clermont. La lueur vacillante de sa lampe qu'il apercevait à travers ses vitres, lui parut une clarté funèbre qui le fit frissonner… On marchait dans la chambre ; ce qui formait de grandes ombres fugitives qui passaient avec rapidité devant les fenêtres, et qui paraissaient s'évanouir dans les airs… M. de Melun, n'osant s'arrêter aux funestes pensées que lui inspirait l'état de mademoiselle de Clermont, se laissa aller à une rêverie qui s'y rapportait, mais qui du moins ne lui présentait que vaguement ces images désolantes. Il était depuis deux heures dans le jardin, lorsqu'il remarqua dans le palais un grand mouvement ; il frémit, et, pénétré d'une mortelle inquiétude, il se hâta de rentrer. En montant l'escalier, il entendit répéter ces terribles paroles : *Mademoiselle se meurt…* Il fut obligé de s'appuyer sur la rampe ; il y resta quelques minutes, immobile de douleur et d'effroi… On vint l'appeler de la part de M. le Duc, qui accourut à sa rencontre avec un visage consterné. — Hélas ! dit-il à M. de Melun, je n'ai plus d'espérance, elle est dans un état affreux, elle n'a plus sa tête, et le médecin dit que si ses convulsions ne se calment point, elle ne passera pas la nuit. Cette funeste révolution s'est opérée tout à coup. À minuit, ayant toute sa connaissance, elle a donné une commission à l'une de ses femmes qui, revenue au bout de cinq ou six minutes, l'a retrouvée tremblante, regardant d'un air égaré la porte du cabinet où nous passons la nuit, comme si elle voyait là quelque chose d'effrayant ; ensuite versant des larmes, et tombant enfin dans les plus terribles convulsions.

Quel récit pour M. de Melun ! Chaque mot, chaque circonstance était un trait déchirant qui s'enfonçait jusqu'au fond de son cœur : gardant un morne silence, il écoutait M. le Duc avec un saisissement qui, heureusement, suspendait toutes les facultés de son âme, et qui ne lui permit ni plaintes, ni larmes, ni la plus légère marque d'attendrissement ; l'ex-cès de sa douleur en sauva les apparences ; mais ce premier moment passé, le plus violent désespoir succéda à cette espèce d'anéantisse-ment. — Quoi ! se disait-il, c'est moi qui la tue, c'est mon inconcevable imprudence qui a pro-duit cette affreuse révolution !... Grand Dieu ! C'est moi qui la tue !... Et je la perds dans l'instant où je reçois d'elle les plus touchants témoignages de tendresse !… Je ne lui en ai donné qu'un seul, en bravant tout cette nuit, pour lui parler, et cette funeste preuve d'amour la précipite au tombeau ! L'infortuné duc de Melun faisait ces réflexions désespérantes à côté de M. le Duc, et forcé de dévorer ses larmes, il souffrait tout ce que la contrainte peut ajouter à la plus juste douleur.

Enfin, au point du jour, mademoiselle de Clermont parut plus calme. Une heure après, elle recouvra sa parfaite connaissance, et le soir, les médecins répondirent de sa vie. Tranquille et rassuré, M. de Melun, le lendemain, voulut retourner à Versailles. M. le Duc exigea qu'il vît auparavant mademoiselle de Clermont qui, disait-il, le désirait et voulait le remercier des soins qu'il lui avait rendus. M. de Melun obéit, il respirait à peine en entrant dans la chambre de mademoiselle de Clermont : mais, quelle fut l'émotion de cette dernière, lorsqu'en jetant les yeux sur lui, elle put jouir de son trouble, de son attendrissement, et que son visage pâle, abattu, défiguré, lui fit connaître tout ce qu'il avait souffert. Malgré la présence de M. le Duc, elle trouva le moyen d'exprimer tout ce qu'elle éprouvait, et M. de Melun, enivré de son bonheur, emporté par le moment, répondit de manière à lui faire comprendre l'excès de sa reconnaissance et de son amour. Mademoiselle de Clermont, deux jours après cette entrevue, fut en état de se lever, et la satisfaction intérieure qu'elle éprouvait, contribua à lui rendre promptement ses forces et la santé. Mais elle devait ressentir un chagrin nouveau, plus accablant qu'aucun autre. M. de Melun n'avait jamais eu la rougeole. On sait avec quelle facilité cette maladie se communique. M. de Melun revint de Versailles avec de la fièvre ; il fut obligé de se mettre au lit, et le médecin qu'il envoya chercher, lui déclara qu'il avait la rougeole. Devant avoir une maladie, c'était celle qu'il eût choisie de préférence à toute autre ; elle lui venait des soins qu'il avait rendus à mademoiselle de Clermont. Mais l'inquiétude affreuse de cette dernière fut extrême ; elle trouva une grande consolation à la montrer sans contrainte. C'était en veillant près d'elle que M. de Melun avait pris cette maladie, ainsi, elle pouvait avouer le vif intérêt qu'elle y prenait, et il est si doux d'avoir un prétexte qui puisse autoriser à laisser voir publiquement une sensibilité qu'on a toujours été forcé de dissimuler !

Cependant, la maladie de M. de Melun ne fut ni dangereuse ni longue, mais sa convalescence donna de vives inquiétudes ; une toux opiniâtre fit craindre pour sa poitrine qui parut sérieusement attaquée. Mademoiselle de

Clermont consulta, sur l'état de M. de Melun, son médecin qui déclara que le malade ne pourrait se rétablir qu'en passant l'hiver dans les provinces méridionales. Aussitôt mademoiselle de Clermont écrivit à M. de Melun, pour exiger positivement qu'il partît sans délai ; on était aux derniers jours de l'automne. L'état où était M. de Melun lui fournit un excellent prétexte de renoncer à l'ambassade d'Angleterre. Il partit pour le Languedoc, il y passa tout l'hiver, il y rétablit parfaitement sa santé, et revint à Paris, sur la fin du mois de mai, au moment où M. le Duc et mademoiselle de Clermont partaient pour Chantilly : M. de Melun fut du voyage. Avec quelle joie mademoiselle de Clermont se retrouva à Chantilly avec M. de Melun ! Après deux ans d'un amour combattu, d'un amour éprouvé par le temps et par des sacrifices mutuels !... Quel plaisir de revoir ensemble les lieux chéris où cet amour prit naissance ! Cette vaste forêt, ces îles délicieuses, ce beau canal, ce palais, ce cabinet consacré à la lecture ! Quel bonheur de retrouver, à chaque pas, des souvenirs d'autant plus doux que nul remords n'en pouvait corrompre le charme... Telle était, du moins, la situation de mademoiselle de Clermont ; M. de Melun, moins heureux et plus agité, ne sentait que trop qu'il était entièrement subjugué, et que désormais l'amour seul disposerait de sa destinée. Il n'osait jeter les yeux sur l'avenir ; mais il est si facile de n'y point penser lorsqu'on est enivré du présent...

Mademoiselle de Clermont avait établi, dans la laiterie de Chantilly, la jeune Claudine, cette paysanne dotée et mariée, par elle, à l'un de ses valets de pied. Afin de ne point séparer le mari et la femme, on avait fait le valet de pied *garçon d'appartement* du château. Une chaumière élégante, bâtie nouvellement à côté de la laiterie, servait de logement à cet heureux ménage. Mademoiselle de Clermont allait presque tous les jours déjeuner dans la laiterie ; elle y rencontrait toujours Claudine qui l'amusait par sa simplicité, car les princes trouvent un charme particulier dans la naïveté, apparemment parce que rien n'est plus rare à la Cour ; c'est pourquoi tous les princes, en général, aiment les enfants, et ce fut peut-être par un sentiment semblable qu'ils eurent jadis des fous. Il faut convenir que, près d'eux, l'*ingénuité* ne saurait être constante sans un peu de folie.

Cependant, on commença à remarquer les sentiments que mademoiselle de Clermont, depuis sa maladie, laissait trop éclater ; les faiblesses des princes ne déplaisent point aux courtisans, et à moins de quelque intérêt l'amant d'une princesse ne cause point d'ombrage ; du moins, loin de chercher à lui nuire, chacun paraît se réunir pour en dire du bien et pour le faire valoir. Les courtisans sont jaloux de l'amitié, ils ne le sont point de l'amour ; ils savent qu'à la Cour on peut facilement perdre *un ami*, mais qu'en aucun lieu du monde, tant que la passion dure, on ne saurait, avec succès, calomnier *un amant* et *une maîtresse* qui ne sont point absents. M. de Melun se vit recherché de tout ce qui entourait mademoiselle de Clermont. Cette dernière entendit répéter continuellement l'éloge de M. de Melun ; des critiques ne lui auraient pas fait la moindre impression ; mais ces louanges qui la flattaient si sensiblement exaltaient encore son amour ; elle n'y voyait aucun artifice, elle les trouvait si fondées, et il lui était si doux de les croire sincères…

M. de Melun s'apercevant que son secret n'échappait plus à l'œil perçant de la curiosité, reprit dans sa conduite toute sa première circonspection ; mais comme la parfaite intelligence établit seule, entre les amants, une prudence mutuelle, la réserve de M. de Melun ne servit qu'à faire mieux paraître les sentiments de mademoiselle de Clermont ; quand il s'éloignait, elle le cherchait, le rappelait, et M. de Melun, n'ayant ni la force, ni la volonté de fuir encore de Chantilly, se persuada que, pour la réputation de mademoiselle de Clermont, il était nécessaire qu'il lui parlât en particulier, qu'il convînt avec elle d'un plan de conduite… Il était poursuivi, depuis longtemps, du désir d'obtenir un rendez-vous secret ; il fut heureux de trouver et de saisir un prétexte de le demander. Ne pouvant dire à mademoiselle de Clermont que quelques mots à la dérobée, et toujours en présence de témoins, forcé même, alors, de composer son visage, et de ne parler à celle qu'il adorait qu'avec la froide expression du respect et de la sérénité, il aurait donné la moitié de sa vie pour s'entretenir avec elle une heure sans contrainte.

La proposition du rendez-vous troubla mademoiselle de Clermont, sans l'effrayer : elle avait pour M. de Melun, autant de vénération que d'amour… Après beaucoup de réflexions, elle se décida à mettre la jeune laitière dans sa confidence, et à voir, un matin, M. de Melun, dans la chaumière de Claudine. On attendit que M. le Duc fît une course à Versailles, et alors, mademoiselle de Clermont, se levant avec le jour, sortit de son appartement sans être aperçue, se rendit à la chaumière, et y trouva M. de Melun. Lorsqu'ils furent tête à tête, M. de Melun se jeta aux pieds de mademoiselle de Clermont, et il exprima ses sentiments avec toute la véhémence que peut inspirer une passion violente, combattue et concentrée au fond de l'âme depuis plus de deux ans. Ses transports étonnèrent mademoiselle de Clermont, et lui causèrent une sorte de timidité qui se peignit sur son visage. Ce mouvement n'échappa point à M. de Melun ; il était à ses genoux, il tenait ses deux mains dans les siennes. Tout à coup, il se releva, et se jetant sur une chaise, à quelques pas d'elle : — Oui, dit-il d'une voix étouffée, vous avez raison de me craindre, je ne suis plus à moi-même... Je ne suis plus digne de votre confiance... Fuyez-moi... En disant ces paroles, quelques larmes s'échappèrent de ses yeux, et il se couvrit le visage avec son mouchoir. — Non, non, reprit mademoiselle de Clermont, je ne fuirai point celui que je puis aimer sans crime, sans réserve et sans remords, s'il ose braver, ainsi que moi, les plus odieux préjugés... À ces mots, le Duc regarda mademoiselle de Clermont, avec surprise et saisissement... — J'ai vingt-deux ans, poursuivit-elle, les auteurs de mes jours n'existent plus ; l'âge et le rang de mon frère ne lui donnent sur moi qu'une autorité de convention, la nature m'a fait son égale... Je puis disposer de moi-même... — Grand Dieu ! s'écria le Duc, que me faites-vous entrevoir ?... — Eh quoi ! ferais-je donc une chose si extraordinaire ? Mademoiselle de Montpensier n'épousa-t-elle pas le duc de Lausun ? — Que dites-vous ? Ô ciel !... — Le plus fier de nos rois n'approuva-t-il pas d'abord cette union, ensuite, une intrigue de cour lui fit révoquer ce consentement, mais il l'avait donné. Votre naissance n'est point inférieure à celle du duc de Lausun ; mademoiselle de Montpensier ne fut blâmée de personne, et il ne lui manqua, pour paraître intéressante à tous les yeux, que d'être jeune et surtout d'être aimée. — Qui ? moi ! j'abuserais, à cet excès, de vos sentiments et de votre inexpérience ! — Il n'est plus temps maintenant de nous fuir !... Il n'est plus temps de nous tromper nous-mêmes, en projetant des sacrifices impossibles... Ne pouvant rompre le nœud qui nous lie, il faut le rendre légitime, il faut le sanctifier.

Ce discours prononcé avec cette fermeté qui annonce un parti irrévocablement pris, ne permettait pas de résister de bonne foi. M. de Melun, incapable d'affecter une fausse générosité, se livra à tout l'enthousiasme de la reconnaissance et de l'amour ; mais il objecta des difficultés qui lui paraissaient insurmontables, mademoiselle de Clermont les leva toutes. On convint que l'on ne mettrait dans la confidence qu'une des femmes de mademoiselle de Clermont, Claudine, son mari, un vieux valet de chambre de M. de Melun, et le chapelain de mademoiselle de Clermont. Enfin, il fut décidé que les deux amants recevraient la bénédiction nuptiale dans la chaumière de Claudine, la nuit suivante, à deux heures du matin, parce que M. le Duc ne devait revenir que le surlendemain. Il fallut se séparer à six heures du matin ; mais avec quel ravissement mademoiselle de Clermont, en sortant de la chaumière, pensa qu'elle n'y rentrerait que pour y recevoir la foi de son amant, et que, dans dix-huit heures, le plus cher sentiment de son cœur serait devenu le premier de ses devoirs !... Que cette journée parut longue, et qu'elle fut cependant délicieusement remplie !... Tout fut plaisir durant cet espace de temps, jusqu'aux confidences qu'il fallut faire. C'en est un si grand de pouvoir, sans rougir, avouer un sentiment si cher, qu'on a longtemps caché ! Le secret fut solennellement promis, la reconnaissance, l'attachement et l'intérêt même en répondaient également.

M. de Melun passa toute l'après-dînée dans le salon, assis à l'écart en face d'une pendule, et les yeux constamment attachés sur l'aiguille, ou sur mademoiselle de Clermont. Sur le soir, on fut à la laiterie ; mademoiselle de Clermont tressaillit en passant devant la chaumière, elle regarda M. de Melun, et ce regard disait tant de choses !…

M. de Melun, à souper, n'osa se mettre à table ; il était si agité, si distrait, qu'il craignit que son trouble ne fût remarqué, et que sa présence n'augmentât celui de mademoiselle de Clermont ; il descendit dans le jardin, il y resta jusqu'à minuit ; alors, il remonta dans le salon, afin de voir si mademoiselle de Clermont y était encore ; elle se levait pour se retirer : en apercevant M. de Melun, elle rougit… et se hâtant de sortir, elle disparut. Arrivée dans sa chambre, elle renvoya toutes ses femmes, à l'exception de celle qu'elle avait choisie pour confidente : alors, quittant ses diamants et une robe brodée d'or, elle prit un simple habit blanc de mousseline ; ensuite, elle demanda ses heures et se mit à genoux… Il y avait dans cette action autant de dignité que de piété ; elle allait faire le pas le plus hardi, en formant une union légitime aux yeux de Dieu, mais clandestine, et que la loi réprouvait, puisqu'il y manquait le consentement du souverain. Dans ce moment, la religion était pour elle un refuge et la sauvegarde du mépris.

À deux heures après minuit, mademoiselle de Clermont se leva ; elle tremblait, et s'appuyant sur le bras de sa femme de chambre, elle sortit ; elle descendit par un escalier dérobé et se trouva dans la cour : le clair de lune le plus brillant répandait une lueur argentée sur toutes les vitres du palais ; mademoiselle de Clermont jeta un coup d'œil timide sur l'appartement de son frère, cette vue lui causa un attendrissement douloureux… et tournant le dos au palais, elle précipita sa marche ; mais quelle fut sa frayeur extrême, lorsque tout à coup elle se sentit fortement arrêtée par derrière !… Elle frémit, et se retournant, elle vit que ce qui lui inspirait tant d'effroi n'était autre chose qu'un pan de sa robe accroché à l'un des ornements du piédestal de la statue du grand Condé, placée au milieu de la cour… Un sentiment superstitieux rendit mademoiselle de Clermont immobile : elle leva les yeux avec un saisissement inexprimable vers la statue, dont la tête imposante et fière était parfaitement éclairée par les rayons de la lune. La princesse, intimidée et tremblante, fut tentée de se prosterner devant cette image qui retraçait à son esprit des idées importunes de gloire et de grandeur… Il lui sembla que le visage du héros avait une expression menaçante… Plus elle le regardait et plus son cœur oppressé se serrait ; enfin, ne pouvant retenir ses larmes :

— Ô mon père, dit-elle, si tu vivais, je sacrifierais tout à ta volonté révérée… Cependant, ma témérité ne souille point le sang que tu

m'as transmis. Je descends, il est vrai, du rang
où je suis placée, mais je ne m'abaisse point…
L'antique nom de Melun est illustré par tant
d'alliances royales ! Et celui qui le porte est si
vertueux !… Ô toi ! qui, plus que tous les rois
de notre race, donnas à tes enfants le droit de
s'enorgueillir de leur naissance ; héros chéri,
du haut des cieux ne maudis point cette union
secrète, et pardonne à l'amour !… En prononçant ces paroles, mademoiselle de Clermont,
baignée de pleurs, s'éloigna précipitamment.
Elle sortit de la cour, et entra dans un bois
épais où l'attendait M. de Melun. Aussitôt
qu'elle entendit le son de sa voix, toutes ses
craintes, ses scrupules et ses noirs pressen-
timents s'évanouirent ; la fierté du rang fut
oubliée, l'amour seul parla et sa voix enchan-
teresse et puissante fut seule écoutée.

On arriva près de la chaumière. — Grand
Dieu ! s'écria M. de Melun en l'apercevant,
c'est sous un toit de chaume que l'on va célé-
brer l'hymen de celle qui serait faite pour
occuper un trône, et qui vient de refuser la
main d'un souverain… — Ah ! reprit mademoiselle de Clermont, ce n'est point au milieu
de la pompe des palais, c'est ici que résident
le bonheur et la sainte fidélité.

On entra dans la chaumière ; Claudine l'avait
ornée des plus belles fleurs. Le chapelain

s'était muni d'une pierre consacrée, que l'on posa sur une table de marbre, et qui servit d'autel. Deux domestiques, le mari de Claudine, et le valet de chambre de M. de Melun, servirent de témoins, et tinrent *le poêle* sur la tête des deux époux… Ce fut ainsi que se maria, dans l'enceinte du palais somptueux de Chantilly, la petite-fille de tant de rois, et la plus belle princesse de l'Europe…

Les nouveaux époux furent obligés de se séparer une heure après avoir reçu la bénédiction nuptiale ; mais le mariage étant fait, les moyens de se revoir étaient sûrs et faciles.

Cependant on préparait, à Chantilly, des fêtes magnifiques, le roi devant y passer deux jours. En effet, il y arriva un soir, avec une suite aussi brillante que nombreuse, huit jours après le mariage secret de mademoiselle de Clermont. Le château et les jardins étaient illuminés, et le canal couvert de barques élégantes, remplies de bergers et de bergères formant les concerts les plus mélodieux. Mademoiselle de Clermont ayant été chargée par M. le Duc de faire illuminer et décorer la chaumière de Claudine, qui se trouvait située dans l'intérieur des jardins, elle en fit orner la façade d'une décoration de fleurs et de mousse, représentant un temple rustique, avec ces mots tracés en lettres de feu, sur le frontispice : *Le temple de l'Amour et du Mystère*, inscription ingénieuse, dont M. de Melun seul put comprendre le véritable sens.

Le plus bel ornement de ces fêtes superbes fut mademoiselle de Clermont, embellie de tous les charmes que le bonheur peut ajouter à la beauté : il lui semblait que ces fêtes, à l'époque de son mariage, en célébraient la félicité ; tous les yeux étaient fixés sur elle, même ceux du jeune roi, qui ne parut occupé que d'elle ; son cœur ne désirait qu'un suffrage, mais il jouissait délicieusement des succès dont M. de Melun était témoin.

Le lendemain matin, on partit pour la chasse du cerf. Au moment où mademoiselle de Clermont allait monter en voiture, M. le Duc la tira à part, et la regardant d'un air sévère : — Je ne veux pas, dit-il, que M. de Melun suive votre calèche ; c'est à vous de l'en avertir, s'il s'en approche. À ces mots, M. le Duc s'éloigna sans attendre de réponse. Mademoiselle de Clermont, interdite et troublée, se rapprocha des dames qui devaient l'accompagner ; elle sortit du salon, et monta en calèche avec la marquise de G***, la comtesse de P*** (maîtresse de M. le Duc), et sa dame d'honneur. La princesse était rêveuse, elle s'attristait en pensant que M. le Duc avait enfin remarqué ses sentiments pour M. de Melun : elle se reprochait vivement de ne les avoir point assez dissimulés, surtout depuis huit jours.

En entrant dans la forêt, M. de Melun ne se mit point à la suite du roi et de M. le Duc, il ralentit le pas de son cheval pour les laisser passer, et lorsqu'il les eut perdus de vue, il s'approcha de la calèche de la princesse, qui, soupirant en le voyant, se pencha vers lui pour lui parler tout bas, et lui dit à l'oreille : *Éloignez-vous, allez rejoindre mon frère, ce soir je vous dirai pourquoi.* M. de Melun n'en demanda pas davantage ; il adressa quelques mots aux dames qui étaient dans la calèche, ensuite il dit qu'il allait retrouver la chasse par le chemin le plus court, et prenant congé de la princesse, il partit au grand galop, suivi d'un seul palefrenier. Avant d'entrer dans une petite allée de traverse, il tourna la tête et regarda la princesse qui le suivait des yeux... Ce triste regard fut un dernier adieu, un adieu éternel !... Il entra dans l'allée fatale, immortalisée par son malheur, il disparut... Hélas, pour toujours !... Au bout de deux ou trois minutes, on entendit un cri perçant, et au moment même on vit accourir à toute bride le palefrenier de M. de Melun : la calèche s'arrête, mademoiselle de Clermont, pâle et tremblante, interroge de loin de palefrenier, qui s'écrie que le duc de Melun vient d'être renversé et blessé par le cerf qui a franchi l'allée... La malheureuse princesse, glacée par le saisissement et la douleur, fait signe qu'elle veut descendre... On la porte hors de la voiture, elle ne pouvait ni parler, ni se soutenir ; on la pose au pied d'un arbre, elle exprime encore par un signe, que tous ses gens doivent aller au secours de M. de Melun, avec la calèche ; on obéit sur-le-champ. La marquise de G*** en pleurs, se met à genoux auprès d'elle, et soutenant sur son sein sa tête défaillante, elle lui dit que l'on n'est pas loin du château, et que M. de Melun sera promptement secouru. Mademoiselle de Clermont regardant la marquise d'un air égaré : — C'est moi, répondit-elle, qui lui ai dit de s'éloigner !... À ces mots, elle fit un effort pour se lever ; son dessein était d'aller du côté de l'allée fatale ; mais elle retomba dans les bras de la marquise et de madame de P***. Cette dernière ordonna au seul valet de pied resté auprès de la princesse d'aller savoir des nouvelles de M. de Melun : il partit, et revint au bout d'un quart d'heure ; il dit que M. de Melun était grièvement blessé à la tête, qu'on l'avait mis dans la calèche pour le conduire au château, et qu'aussitôt qu'il y serait arrivé, les gens de la princesse

lui ramèneraient sur-le-champ une voiture.
À ce récit, mademoiselle de Clermont fondit
en larmes, mais en gardant le plus profond
silence. Il était trois heures après-midi ; à
quatre heures et demie, on aperçut de loin
la calèche ; la marquise et madame de P***
laissèrent, pour un moment, la princesse avec
sa dame d'honneur, et s'avancèrent précipitamment au-devant de la voiture, afin de questionner les domestiques, qui leur dirent que
les blessures de M. de Melun étaient affreuses
et paraissaient mortelles ; alors madame de
P*** imagina de donner l'ordre au cocher de
s'égarer dans la forêt, afin d'y rester jusqu'à
minuit… Dans ce moment, mademoiselle de
Clermont, soutenue par sa dame d'honneur et
son valet de pied, s'approchait. — Eh bien !
s'écria-t-elle. On lui répondit que M. de Melun
était fort blessé, mais que le chirurgien ne
prononcerait sur son état que le lendemain,
quand le premier appareil serait levé.

Mademoiselle de Clermont ne fit plus de
questions, et se laissa conduire, ou pour mieux
dire, porter dans la calèche ; mais quelle fut
son horreur, en y entrant, de la trouver toute
ensanglantée ! — Grand Dieu ! dit-elle, je
marche sur son sang !… À ces mots l'infortunée s'évanouit.

Dans le trouble qu'avait causé un si tragique

événement, on avait oublié de prendre une autre voiture ; on la remplit de feuillages afin de cacher le sang, et l'on s'enfonça dans la forêt. Une eau spiritueuse que la marquise fit respirer à mademoiselle de Clermont, fit rouvrir les yeux à cette malheureuse princesse, et lui rendit le sentiment de sa douleur. — Où sommes-nous ? dit-elle, c'est au château que je veux aller... — Hélas ! répondit madame de P***, nous y retrouverions le roi, et mademoiselle serait obligée de paraître dans le salon... — *Obligée !* reprit-elle avec une profonde amertume... — Oui, poursuivit-elle en versant un torrent de pleurs, oui, je ne suis qu'une vile esclave, jouet éternel d'une odieuse représentation... Je dois cacher les sentiments les plus naturels, les plus légitimes... Je dois assister à des fêtes, je dois sourire quand je me meurs... Ce rang envié n'est qu'un rôle fatigant ou barbare qui nous impose jusqu'au tombeau les plus douloureux sacrifices, et la loi honteuse d'une constante dissimulation !... À ces mots, se penchant vers la marquise, elle appuya et cacha son visage sur son épaule... Quelques instants après, relevant la tête, et jetant de sinistres regards dans l'intérieur de la calèche, elle pâlit en disant : — Ôtez-moi d'ici par pitié !... On arrêta ; on aida la princesse à descendre, elle se traîna vers un petit tertre couvert de mousse et entouré de buissons ; elle s'assit là avec les trois dames qui l'accompagnaient ; on ordonna au cocher de s'éloigner avec la voiture et les domestiques, et d'attendre à trois cents pas qu'on les rappelât... On resta dans ce lieu jusqu'à dix heures ; alors, une petite pluie survint, et comme la calèche était couverte, on engagea la princesse à y remonter. On erra encore deux heures dans la forêt, ensuite on reprit le chemin du château, afin d'y arriver à minuit et demi, heure à laquelle on savait que le roi se retirait pour se coucher. En approchant du château, mademoiselle de Clermont se jeta dans les bras de madame de G*** ; ses sanglots la suffoquaient... Cependant on touchait presque à la grille du château, que l'obscurité profonde de la nuit ne permettait pas d'apercevoir... Tout à coup mademoiselle de Clermont frissonne... un son terrible parvient à son oreille, c'est celui de la sonnette funèbre qui précède et qui annonce les derniers sacrements que l'on porte aux mourants... Mademoiselle de Clermont se retourne en frémissant, et elle découvre en effet à quelque distance le cortège religieux, éclairé par des flambeaux, et qui s'avance lentement... On sait que les princes du sang royal sont obligés de donner au public l'utile et noble exemple du plus profond respect pour la religion ; s'ils rencontrent dans les rues le Saint-Sacrement, ils doivent descendre de voiture et s'agenouiller dans la poussière devant la majesté suprême ; dans l'enceinte des palais, ils doivent escorter les prêtres jusque dans la chambre du mourant... Le cocher s'arrêta, suivant l'usage, sans en recevoir l'ordre... Mademoiselle de Clermont, la mort dans le cœur, rassemble toutes ses forces : — Du moins, dit-elle, je le reverrai encore !... En disant ces paroles, elle descend, se prosterne, se relève, et s'appuyant sur le bras d'un valet de pied, se met à la suite du cortège malgré les représentations des dames qui l'accompagnaient et qui la conjuraient de rentrer dans son appartement... On traverse la cour, on entre dans le palais, on y trouve M. le Duc qui venait au-devant du cortège ; sa vue sèche les larmes de mademoiselle de Clermont... Il parut surpris et mécontent en l'apercevant ; il s'approcha d'elle et lui dit tout bas, d'un ton impérieux et rude : — Que faites-vous ici ? — Mon devoir, répondit-elle avec fermeté, et elle poursuivit son chemin. M. le Duc n'osant faire une scène devant tant de témoins, fut obligé de dissimuler son étonnement et sa colère. Arrivé à l'appartement de M. de Melun, le cortège passa : M. le Duc resta seul en arrière, et arrêtant mademoiselle de Clermont, il l'invita avec douceur à le suivre un instant dans un cabinet voisin, et il l'y entraîna. Là, s'enfermant avec elle, il se contraignit moins, et lui dit qu'il ne voulait pas qu'elle entrât dans la chambre de M. de Melun... — Dans la situation où je suis, reprit mademoiselle de Clermont, on peut sans effort braver la tyrannie : je veux voir M. de Melun. — Je vous déclare que je ne le souffrirai point... — Je veux voir M. de Melun, je suis sa femme. À ces mots, M. le Duc, pétrifié d'étonnement, resta un moment immobile ; ensuite, regardant sa sœur avec des yeux où se peignait la plus vive indignation : — Songez-vous, lui dit-il, aux conséquences d'un tel aveu ? Votre séducteur n'est point mort, et même le chirurgien ne l'a point condamné, il peut recouvrer la santé... Mademoiselle de Clermont ne fut frappée que de ces dernières paroles ; ce rayon d'espérance et de joie abattit toute sa fierté, ses pleurs inondèrent son visage. — Ô mon frère ! s'écria-t-elle en tombant aux pieds de M. le Duc ; mon cher frère, est-il bien vrai qu'on ait encore quelque espérance pour sa vie ?... — Je vous le répète, il n'est pas à l'extrémité... — Ah ! mon frère ! Vous ranimez ce cœur désespéré ; oh ! n'y soyez point insensible ! Vous que j'aime et que je révère, rappelez-vous les droits que la nature me donne auprès de vous ! Serez-vous sans indulgence et sans pitié pour votre malheureuse sœur !… — Allez dans votre appartement, reprit M. le Duc. — Promettez-moi donc, interrompit la princesse, que je trouverai toujours en vous un ami, un protecteur ?… et ne dites point que l'on m'a séduite ! Ah ! Je suis la seule coupable… Il m'a fuie pendant deux ans ! — Allez, dit M. le Duc, conduisez-vous désormais avec prudence, laissez-vous guider par moi… et… vous pouvez tout espérer. Cette espèce d'engagement transporta mademoiselle de Clermont ; elle se jeta dans les bras de son frère, en lui promettant une aveugle soumission. Ce fut ainsi que sans violence, on la fit rentrer dans son appartement. Elle avait donné sa parole à M. le Duc de se coucher, et en effet, elle se mit au lit ; mais à trois heures du matin, elle envoya sa femme de chambre favorite chez M. de Melun, avec ordre de parler à ses gens et au chirurgien qui le veillait. La femme de chambre revint en s'écriant de la porte que le Duc était beaucoup mieux et que le chirurgien répondait de sa vie : la sensible et crédule princesse tendit les bras à celle qui lui apportait de si heureuses nouvelles, elle l'embrassa avec tous les transports de la reconnaissance et de la joie : — Grand Dieu ! s'écria-t-elle, quel changement dans mon sort !… Il vivra, je le reverrai !… Et mon frère sait notre secret, et il m'a permis de *tout espérer !*… Il obtiendra le consentement du roi, je jouirai du bonheur suprême de me glorifier publiquement du sentiment qui seul m'attache à la vie !…

Enivrée de ces douces idées, mademoiselle de Clermont fit réveiller la marquise de G***, afin de lui confier tous ses secrets et de lui faire partager sa joie. La marquise, ainsi qu'elle, croyait M. de Melun hors de danger ; car en effet le chirurgien l'avait annoncé presque affirmativement aux gens du Duc et à tous ceux qui veillaient dans le palais, peu de temps après que le duc eut reçu ses sacrements…

La marquise soupçonnait depuis longtemps les sentiments de mademoiselle de Clermont, et le funeste événement de ce jour ne laissait aucun doute à cet égard ; mais la confidence du mariage lui causa la plus grande surprise : elle pensa, comme la princesse, que les paroles de M. le Duc donnaient le droit de se flatter d'obtenir le consentement du roi. Elle enchanta la princesse par l'enthousiasme avec lequel elle parla des vertus de M. de Melun et de son amitié pour lui. À la cour, un ami élevé au plus haut rang devient si cher !… On s'y passionne si naturellement pour les gens heureux !… D'ailleurs, la marquise était si flattée de recevoir la première confidence d'un tel secret !… À cinq heures du matin, on renvoya chez M. de Melun, et la confirmation des bonnes nouvelles rendit la conversation encore plus animée.

Sur les sept heures, mademoiselle de Clermont se décida à prendre quelque repos. Elle dormit deux heures d'un sommeil agité par des rêves effrayants qui la réveillèrent en sursaut, et qui noircirent son imagination ; elle demanda des nouvelles de M. de Melun ; on lui fit toujours les mêmes réponses ; cependant elle ne retrouva plus au fond de son cœur la vive espérance et la joie qu'elle avait ressenties peu d'heures auparavant. À midi, M. le Duc entra chez elle pour lui dire que le roi partant après souper, elle ne pouvait se dispenser de descendre et de passer la journée dans le salon. À cette proposition, elle répondit qu'elle était souffrante, malade, et qu'il lui serait impossible de faire les honneurs d'une fête. — Il le faut cependant, reprit M. le Duc, vous n'avez point paru hier, le roi croit qu'en effet vos gens vous ont égarée dans la forêt, mais que pourrait-on lui dire aujourd'hui ? Songez quel intérêt puissant vous avez à lui plaire… Cette dernière réflexion que la princesse ne manqua pas d'appliquer à son mariage, la décida sur-le-champ : — Eh bien ! dit-elle en soupirant, je descendrai. — Habillez-vous donc, reprit M. le Duc, je vais vous annoncer. À ces mots il sortit, et mademoiselle de Clermont, en maudissant la grandeur et la représentation, se mit à sa toilette. Le soin fatigant et forcé de se parer avec somptuosité, et l'idée de passer la journée au milieu d'une cour nombreuse, lui causaient une peine d'autant plus insupportable, que cette répugnance était mêlée de remords. Elle ne craignait plus pour la vie de M. de Melun ; mais enfin il avait reçu ses sacrements, il était blessé, souffrant et dans son lit : tandis qu'elle, loin de pouvoir remplir les devoirs d'une tendre épouse, se trouvait forcée de se livrer à une dissipation que n'eût osé se permettre, dans une telle circonstance, la femme de la société la plus légère et la moins sensible.

Avant de sortir de son appartement, elle envoya chercher la marquise de G***, qu'elle avait priée d'aller chez M. de Melun. La marquise vint, et dit qu'elle n'avait pu voir M. de Melun, le chirurgien ne permettant à qui que ce fût d'entrer dans sa chambre, parce qu'un parfait repos était absolument nécessaire dans son état. Quoique cette précaution fût assez simple, néanmoins elle troubla mademoiselle de Clermont, qui descendit dans le salon avec le plus affreux serrement de cœur.

Malgré le rouge et la parure, elle était excessivement changée ; et la douleur peinte sur son front et dans ses yeux démentait le sourire d'affabilité que l'on voyait encore sur ses lèvres. Elle s'aperçut que tous les regards se fixaient sur elle, mais avec une expression qui acheva de la troubler : on ne la contemplait point, on l'examinait ; et la curiosité que l'on inspire aux indifférents est surtout embarrassante, insupportable, lorsqu'on souffre et qu'on veut le cacher. À dîner, placée à côté du roi, ce qu'elle éprouva est inexprimable. Quel supplice, lorsqu'on est uniquement occupée d'une idée douloureuse, d'écouter attentivement la conversation la plus frivole, la plus décousue ; lorsqu'il faut, à toute minute, répondre à des riens ! Combien alors la gaîté des autres paraît incompréhensible, odieuse ! Comme le son d'un éclat de rire surprend et révolte ! Quels mouvements d'aversion on ressent pour tous ceux qui s'amusent, qui ont un visage épanoui, et qui disent des folies !... À cinq heures du soir, il fallut aller au spectacle, mademoiselle de Clermont frissonna en se trouvant dans une salle de comédie... Une affreuse pensée vint s'offrir à son imagination, et ne la quitta plus : Si dans ce moment, se disait-elle, *il était plus mal !...* Bientôt elle prit cette idée cruelle pour un pressentiment...

Que n'aurait-elle pas donné pour avoir la possibilité d'aller savoir de ses nouvelles ! Mais, assise entre le roi et M. le Duc, elle n'avait nul moyen de sortir un moment, ou même de donner une commission. On jouait une comédie plaisante, la salle retentissait d'éclats de rire, et l'infortunée princesse, avec des yeux pleins de larmes, était forcée d'applaudir !...

En sortant de la comédie, elle envoya (pour la dixième fois de la journée) savoir des nouvelles de M. de Melun ; on lui répéta qu'il était toujours dans le même état. Mais tout à coup son cœur fut déchiré par une pensée plus terrible que toutes les autres... Si M. de Melun était plus mal, le dirait-on pendant la fête, et tant que le roi serait à Chantilly ?... Et même pouvait-elle se fier entièrement à tout ce qu'on lui avait dit le matin ?... On voulait absolument qu'elle fît les honneurs de la fête !... Glacée par cette idée funeste, elle n'eut pas le courage de la fixer, elle la repoussa avec horreur ; mais le coup était porté, il avait atteint son cœur d'un trait mortel... Elle pouvait écarter la réflexion, et non se soustraire à la souffrance. Enfin le roi partit à onze heures du soir. Mademoiselle de Clermont se hâta de remonter dans son appartement, décidée à se rendre chez M. de Melun quand tout le monde serait couché. Elle se débarrassa de sa parure, et à trois heures après minuit elle descendit… Il fallait traverser une partie de la cour… La nuit, l'heure, le silence, tout lui rappela un souvenir déchirant dans ce moment !… — Hélas ! dit-elle, j'ai passé ici avec le même mystère il y a huit jours !… Cette nuit s'écoula pour moi dans tous les transports de l'amour et du bonheur !… Et celle-ci !… Cette félicité ne fut qu'un songe rapide, et cette aurore qui va luire sera peut-être pour moi le plus affreux réveil !… Arrêtons-nous… Jouissons encore un instant, sinon de l'espérance, du moins de l'incertitude, le seul bien qui me reste !… À ces mots, elle s'assit sur une pierre, elle croisa ses mains sur sa poitrine, et levant vers le ciel des yeux noyés de pleurs : — Ô Consolateur invisible, s'écria-t-elle, viens fortifier ce cœur éperdu !… Ô Maître souverain ! si tu ne m'as destiné sur la terre que huit jours de bonheur, préserve-moi du désespoir qui blasphème ou qui murmure, donne-moi l'humble douleur qui détache de tous les biens périssables, pour se réfugier dans ton sein !… En prononçant ces paroles, ses larmes coulaient avec abondance, mais cependant avec moins d'amertume… Le jour commençait à poindre ; elle frissonna. — Jour incertain et terrible, dit-elle, que seras-tu pour moi !… Tu contiens tout mon avenir !… Après un moment de silence, elle se leva et se remit en marche. Elle rentra dans le palais et monta l'escalier ; bientôt elle fut à la porte de M. de Melun ; là, ses genoux tremblants fléchirent, elle s'appuya contre le mur… — Allons, dit-elle, connaissons mon sort !… Elle cherche la clef pour ouvrir la porte, mais en vain… Elle n'ose frapper… Elle écoute… Un silence profond régnait dans tout le corridor ; ce silence l'effraya… Hélas ! du bruit et du mouvement l'eussent épouvantée de même !… Elle resta plus d'une demi-heure, collée sur cette porte ; enfin le grand jour l'obligea à se retirer… Elle rentra chez elle, s'assit dans un fauteuil, en attendant que ses femmes fussent éveillées… À sept heures elle entend marcher, ouvrir une porte, elle sort en tressaillant d'une douloureuse rêverie… Elle se lève avec agitation… Une femme de chambre, avec un air consterné, entre, et lui dit que le valet de chambre de M. de Melun demande à lui parler… Mademoiselle de Clermont frémit, et ne répond que par un signe… Le valet de chambre paraît… Son maintien, sa physionomie n'annoncent que trop l'affreuse vérité. La princesse tombe sur une chaise, une pâleur mortelle se répand sur tous ses traits… Le valet de chambre s'approche lentement, et lui présente un papier. La malheureuse princesse se jette à genoux pour le recevoir ;

et recueillant le peu de forces qui lui restent, elle ouvre l'écrit fatal. C'était le premier billet qu'elle écrivit jadis à M. de Melun, et qui ne contenait que ces mots : *Pour toujours !* Mais son époux mourant, avant de rendre le dernier soupir, avait aussi retracé sur ce même billet sa première déclaration. On y lisait ces paroles touchantes : « Je dépose en vos mains ce que je possédais de plus cher !... Adieu, n'oubliez point celui qui vous aima *jusqu'au tombeau !...* »

FIN

COLLECTION FOLIO 2 €

Dernières parutions

Composition Nord Compo
Impression Novoprint,
à Barcelone, le 11 février 2021
Dépôt légal : février 2021

ISBN 978-2-07-292197-1. / Imprimé en Espagne

373526